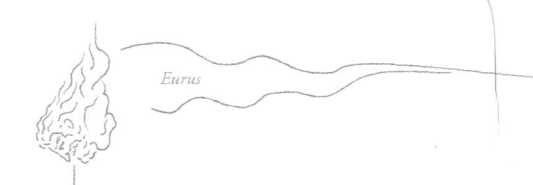

行方昭夫 Akio Namekata

英文の読み方

岩波新書
1075

目　次

Step 0　はじめに——準備にかえて　　*1*

Step Ⅰ　〈英文〉に慣れる——まずは多読で腕試し　　*11*

Step Ⅱ　正確に読む——1語1語を徹底的に　　*43*

Step Ⅲ　筋を読む——論理の継ぎ目が肝心　　*71*

Step Ⅳ　行間を読む——「言外」のニュアンス　　*117*

Step Ⅴ　翻訳へのステップ——日本語表現のコツ　　*173*

　Step Ⅰの例文訳例　　*221*
　例文出典一覧　　*226*
　あとがき　　*229*

Step 0
はじめに──準備にかえて

「愛してる」で大丈夫？

早速ですが，「I love you.」を日本語に訳せと言われたら，皆さんはどうしますか？

I love you といえば「愛してる」に決まっているではないか，何をばかなことを，と言われる方もあるかもしれません．それでは，「I love you＝愛してる」と聞いて，どのような場面を思い浮かべますか？──おそらく多くの方は，妙齢の男女が愛をささやき合うロマンティックな情景を考えられたのではないでしょうか．しかし本当のところ，答えは千差万別です．学校でいじめられてしょんぼり帰ってきた息子に，お父さんが「お前は私の大切な息子だよ」という意味で言う場合もあれば，小さな女の子がお気に入りのお人形を抱きしめながら，「だーい好き！」という意味で使う場合もあるでしょう．

日本人が英語を学ぶに際して，ほとんどの人が最初に出会うのは，教科書や参考書に挙げられた例文だと思います．「Where is my pen?」とあれば，「私のペンはどこにありますか？」と訳す，「Are you a boy or a girl?」

とあれば「あなたは男の子ですか，それとも女の子ですか？」と訳す，とひとつひとつ教わる中で，私たちは英語の読み方を覚えてきました．しかし，私たちの現実の生活の中では，この1文だけがひょっこり目の前に現れるということはまずありません．英語で書かれた新聞や本を読むときも，英語で会話するときも，必ずそこには文脈や話の背景，相手との関係性などの「コンテクスト」があるのです．教科書に出てくる無味乾燥で単純な文章も，本当はコンテクストによって，例えば「困ったわね，私の大事なペンは一体どこへいっちゃったのかしら？」とか，「まったく女みたいな格好をして，お前はそれでも男なのか？」といった，それぞれの場面での意味を含んでいるはずなのです．

しばしば誤解されているようですが，「英文を読む」ということが，もしも単語を1つずつ「鳩が豆をついばむように」(本書177頁参照)日本語に置き換えること，つまり昔風に言えば「横のものを縦にする」ことであるならば，簡単ではありますがとても退屈で，しかも得るものはあまりないと思います．退屈嫌いな私など，誰よりも先に悲鳴を上げますよ．実際には，読むということは，豊かな想像力や推理力を必要とします．機械的に訳すようなロボットなどに出来ることではなく，わくわくするほど面白い，血の通った人間ならではの行為なのです．

「読む」とはどういうことか

　皆さんよくご存じのように，言葉には読む，書く，話す，聞くという4つの技能があります．昨今は「話す，聞く」に重点を置いて学ぶ人が多いようですが，何よりも「読む」ことをゆるがせにしては決して本当の英語力は身につかない，と私は考えています．

　ここで告白してしまえば，私もかつては，英文読解よりも英会話に憧れていました．高校1年の時，生意気にも英字新聞に投稿し，「これからの英語教育は読解よりも話す，聞くに重点を置くべきだ」という主張をしたくらいです．ところが大学に入学してみると，当時は英文を読んで訳すという形式の授業ばかりで，とても不満でした．思えばその頃の私は，「英文を読む」ということを，「何となく意味が取れる」ということとイコールに考えていたように思います．どうせ母語ではないのだから，大体の意味が分かればそれでいいし，それ以上のことはやろうと思っても無理だと諦めていたのでしょう．

　ところが大学2年生のときに出会った先生が，私の考え方を全く変えてくれました．今でもよく覚えていますが，その時のテクストはアメリカの批評家が書いた"Reality in America"という評論です．何しろ難解な文章で，いくら予習しても歯が立ちません．訳すようにと当てられた学生は皆しどろもどろ．するとそれを聞いた先生が，「むずかしいだろうから，念のために私が全部

訳そう」とゆっくりはっきりした口調で訳していかれました．

　それを聞いて，私はあっと驚き，目がさめる思いでした．その訳を聞くと，あれほど難解だった英文の意味するところが100％分かるのです．それも余計な説明や解説を別途付け加えられたわけではなく，日本語訳の中に著者の言わんとする気分までも鮮明に盛り込まれているのです．言うなればそれは，日本語の本を読むときにとても近い感覚でした．正確に英語を読むとはこういうことかと，その時ようやく理解することが出来たのです．

　さらにこの目覚めに促されて，今度はイギリスの戯曲を読むゼミに参加しました．アイルランドの作家，バーナード・ショーの作品がテキストだったと記憶しています．ここで教えてくださった先生もまた素晴らしく，その訳を聞くだけで，登場人物の奥深い心理から，その劇作家の物の見方までが見えてくるように思われました．後で知ったことですが，この2人の先生はどちらも日本を代表する英文学者で，とりわけ英語を読む力にかけては日本で右に出る者がないという実力者だったのです．全く幸運なことだった，と改めて思います．

「英語力」の屋台骨

　こうした出会いを経験して，「正確な日本語に訳せる」ことこそがもっとも重要だと私は考えるようになりまし

た．ざっと読み流して大まかな意味を取り，曖昧な訳が出来たとしても，それで英文が「読める」とはとてもいえないのです．コンテクストを把握した上で，書き手の気持ちや言外に込められた意味など英文の裏の裏まで読み解き，それを活かした日本語に直せる力こそが，総合的な英語力の何より重要な基礎だと確信するようになったのです．

　その後，大学の教師として何十年も英語を教えてきましたが，その確信は強まるばかりです．私の見てきた限り，本当の意味で読む力のある人は，必ず他の技能にも対応出来ます．英語の4技能というものは相互に関係が深いので，読む力が中途半端な人が会話力だけ超一級だとか，会話は全く出来ないけれど読みなら問題なしということは，余程の例外を除いてあり得ないと思います．「英和辞典があれば大体読むことは出来るのだが，会話はどうもだめで」という人は，私の見た限り，読む力もそれほどない場合が多いようです（少し意地悪な言い方になりますが，どうぞお許しを）．例えばこういう人に，聞き取りで出題されるのと同じ分量の英文を，黙読して要約してみてくださいと言うと，まともに出来ない場合がほとんどですから．

自信があっても，ご用心

　これまた少し意地悪になりますが，英語での会話のや

りとりにとくに支障のない人は，自分の英語力を過信しがちな傾向があるように思います．ひとつ実際にあったエピソードをお話ししましょうか．私の長年の友人がある日突然電話をかけてきました．彼は英語の専門家ではありませんが，英会話が得意のビジネスマンで，海外旅行にもひとりでどんどん出かけていくような人物です．ところがインターネットで海外の通販を申し込もうとしたところ，いろいろ条件が列挙してある規約文の最後に「読んで賛成なら次の文にチェックせよ」とあって，I couldn't agree more. とあったというのです．彼は見慣れないその文を，まさに「鳩が豆をついばむように」1語ずつ「もっと賛成できなかった」と解しました．それで，この文は変だからというのでチェックせずに進んだら，注文手続きが先へ進まず，困ってしまったそうです．何がいけないのか？と電話口で不満そうに言うのですが，親しい間柄なので，私はすぐ「だって，その英語は大賛成だっていう意味だよ！」と答えました．「英語力には自信があったんだけどな」と彼曰く．

　彼に限らず，英語圏の支店で英語を母語とする部下を使いながら長年仕事をしてきたという方から，お手紙をいただいたこともあります．私が雑誌の連載や著書などで主張してきた，「正確な日本語に出来るまで，英文を徹底的に読み込む」ということを経験してはじめて，自分がいかに大まかな意味しか取れていなかったかという

ことがようやく分かった，あんな英語力で海外にいて，よく大きな誤りを犯さなかったと，思い出しては冷や汗をかいているそうです．

「読めた！」という快感へ

　最近の英語教育では会話力が重視される傾向にあるとはいえ，平均的な日本人が日常的に他の国の人々と接して意見を交わし，交際するという機会は，昔にくらべれば増えてきたとはいえ，決してそう多くありません．逆に英語を読む必要となると，日々増してきていると言っていいでしょう．インターネットで海外のニュースを読む，輸入品を買ってその説明を読む，海外旅行で入国届けを書く，といった時など，日常的にも読む力が必要な場面は多々あると思います．

　何よりも，自分の想像力や感性，知識，論理をたどる力などを駆使して英語の文章を味わい尽くし，正確な訳文を作っていく中で「読めた！」という快感を味わうことは，ほんとうに楽しい経験です．読者の皆さんにもぜひ，私が長年享受してきたこの楽しみを共有していただきたいという思いから，本書を書きました．

　正直なところ，「英文の読み方」を解説するのはとてもむずかしいことです．「どうしてそういう意味になるのですか」と尋ねられてもはっきりとは説明できないことが多いし，私自身が明快に分からない場合もあります．

これまではそうした場合，「長年の勘で分かるのだから，説明はできない」とか「言葉は理屈ではないから，説明などできない」と答えて逃げたこともあるのですが，今回は，私がこれまで英語に関して学んできたこと，考えてきたことをすべて披露してしまおうと決意しました．過去において私自身が理解困難な英文を相手に，どのように辞書を引き，どの角度から文法的な知識を活用したか，どのように頭を働かせたかを率直に語ったつもりです．どのように説明して相手を納得させたかを思い出しながら書いたところもあります．そういう私の解説について来てさえくだされば，どなたでも英文を読む実力を獲得できると信じています．

本書の構成

　上記のような考え方から，本書では，曖昧な「ピンぼけ訳」を脱して「正確に訳す」訓練をする中で「読み方」を身につけていくという手法を取っています．場合によって，違いをはっきりと感じていただくために，あえて直訳的な「ピンぼけ訳」の例を反面教師として挙げたところもあります．この訳例は，私が今までに出会った誤りの例を参考に作成したものです．例文によっては下に語釈を掲げたところもありますが，これはあくまでその文章の読み解きの助けとして出しているものなので，辞書的な意味とは異なっているものもあります．分から

ない単語は，ぜひ自分で調べてご覧になることをお勧めします．

　例文となる英文の選定にもかなり意を用いました．せっかく丁寧に分析して読もうとしているのに，文章自体が無味乾燥なものであっては興ざめですものね．人生経験豊かな大人の読者にとって興味の持てる幅広い題材を，週刊誌やノンフィクション，文学作品などから多数拾っています．人情の篤さにほろっとくる事件の報道，男女の愛情の機微に触れる描写，人間のずるさへの皮肉な見方，ユーモア溢れる逸話など，興味深く味わっていただけるかと思います．例文として問題番号を振ったものについては，巻末あるいは本文中に訳例を掲げています．

　全体の構成は，英文読解の初歩から翻訳の前段階まで，5つのステップに分かれています．出来れば順番に読み進められることを期待していますが，急ぎすぎて息が切れたときには少し戻って，同じ道をもう一度．勉強法の参考になりそうなポイントを本文中にも示していますので，手がかりになるかと思います．

　それでは早速，ひとつめのステップへと進むことにしましょう．ぜひ皆さん，楽しみながらチャレンジしてみてください．

Step I

〈英文〉に慣れる
―― まずは多読で腕試し ――

まずは「多読」からスタート

多少なりとも英語に興味のある人ならば，一度くらいは「いったい自分は本当のところ，どれくらい英語が読めるのか？」と考えたことがあるのではないでしょうか．単語力や文法力は試験である程度客観的にはかることが出来ますし，会話力なら実践してみて「出来た」「出来ない」が自分でも何となく把握出来るでしょう．しかし「読解力」のレベルをはかるのは意外と厄介なもので，「普段なんとなく読めたつもりになっているけれど，本当に理解出来ているのかどうか，どうにも自信がない」と実力に不安を持っている方は多いのではないかと思います．学生の方ならまだ，自分でつけた訳を先生にみてもらうという機会もあるでしょうが，社会人の方はそれもむずかしいところです．

とくに，こういう経験のある方はいらっしゃらないでしょうか．ペーパーバックでもウェブサイトでも何でもいいですが，とにかく英語の文章を前にして，分からない単語は辞書をひきつつ，最後まで何とか読み通してみた．それぞれの文の意味は大体分かったけれど，しかし結局，全体が何の話だったのかピンと来ない——残念ながらこれではとても「読んでいる」とは言えず，貴重な時間が無駄になるばかりです．

なぜこうなるのでしょうか？　ひょっとして

「木を見て森を見ず」の可能性あり

かもしれません．単語の意味はどれもちゃんと分かっていて，1文単位なら日本語にも置き換えられる，しかしそこから「文章全体を読みこなす」ことには少し距離があります．日本語の文章を読んでいるときとの違いを考えればイメージ出来ると思います．外国語を読む場合はどうしても細部の理解に目がいき，全体をつかまないまま読み進んでしまいがちです．日本語ならば自然に頭で補って読んでいるところを補えないまま読み進め，結局「ぼんやり」としか意味が分からない，ということも時にあるでしょう．

英語の文章を「森」を見ながら読んでいけるようになるための第1の関門として，本章ではまず，

簡単な文章をたくさん読む

ことから始めたいと思います．

「英文の読み方」を身につけるにも，むずかしい文章に無理に取り組むことばかりが訓練の道ではありません．自分が日頃どのように英文を読んでいるかを改めて客観的に把握するためにも，易しめの文章を「多読」することはとても有効ですから，まずはだまされたと思ってチャレンジしてみてください．

この章で取り上げている英文は，どれも基本的な文法

知識と3000語くらい(高校2年生程度)の語彙があれば理解出来る文章ばかりですし，語釈も多めにつけておきました．(訳文は巻末に載せています．)

ここで読み方のポイントをひとつ．

> ☞ 読み直し，読み飛ばしをしないこと

です．日本語の文章を丁寧に読むときの感覚を思い出しながら，前に戻って読み直したり途中を読み飛ばしたりせずに最初から最後まで一気に読み切ること．とはいえあせってはいけません．ゆっくりとひとつひとつの文の意味を頭の中でつなげながら，まとまった「文章」として最後まで読むことを意識してみてください．英語だというのを忘れて心を中味に集中させられれば，理想的です．

初心に戻って

それでは，きっとほとんどの人が内容をすでによくご存じの文章を読んでみましょう．初めて英語を勉強したときの気分に戻って，取り組んでみてください．

1-1▶ The last man who saw the Mujina was an old merchant of the Kyobashi quarter, who died about thirty years ago. This is the story, as he told it: —

One night, at a late hour, he was hurrying up the Kiino-kuni-zaka, when he perceived a woman crouching by the moat, all alone, and weeping bitterly. Fearing that she intended to drown herself, he stopped to offer her any assistance or consolation in his power. She appeared to be a slight and graceful person, handsomely dressed; and her hair was arranged like that of a young girl of good family. "O-jochu," he exclaimed, approaching her, — "O-jochu, do not cry like that! ...Tell me what the trouble is and if there is any way to help you, I shall be glad to help you." But she continued to weep, —hiding her face from him with one of her long sleeves. 　　　　　　　　　(Lafcadio Hearn, "Mujina")

【moat「お堀」, drown herself「身投げする」】

　ここで一息いれましょうか．この文章には見覚えがある人も多いでしょう．以前，中高の英語教科書に出ていましたから．ラフカディオ・ハーン，日本名，小泉八雲の有名な『怪談』に収められた「むじな」という短篇の一部です．東京の紀伊国坂という，お化けが出るという噂のある，お堀に沿った坂で，親切な老人が体験した実話ということになっています．「お女中」というのは，「お嬢さん」に相当する昔の呼びかけの言葉です．

「のっぺらぼう」登場
　さて，続きです．

1-2▶ Slowly she rose up, but turned her back to him, and continued to moan and sob behind her sleeve. He laid his hand lightly upon her shoulder, and pleaded: —"O-jochu! —O-jochu! —O-jochu! …Listen to me, just for one little moment! …O-jochu—O-jochu!" Then, that O-jochu turned round, and dropped her sleeve, and stroked her face with her hand; —and the man saw that she had no eyes or nose or mouth, —and he screamed and ran away.

いわゆる「のっぺらぼう」というお化けですね．むじなは，狐や狸と同じく化けると信じられていました．

この本の読者の多くには，おそらく上の文章は簡単すぎるでしょう．しかし逆に言えば，「〜が〜となって……となった」という筋立てを，とくに「外国語を読んでいる」という緊張感なしで，きちんと追っていけた人がほとんどではないかと思います．

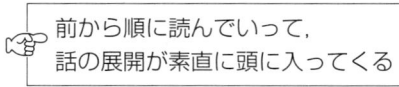
前から順に読んでいって，
話の展開が素直に頭に入ってくる

という感覚を，ぜひ忘れないでください．

「知ってる話」は読みやすい

多くの読者にとってこの「むじな」が読みやすいのは，

話の内容が何となくでも知っているものだということも大きな理由でしょう．文章を「まとまり」として読もうとする目を養うには，読む前に内容をある程度推測出来る英文から始めることに大きな意味があります．旅行でも釣りでも料理でも，自分の趣味と関係する英文だと，それが可能になりますね．知り合いのおじいさんは，日本人ですがアメリカに長年暮らしています．しかし英語が読めません．それでも写真の助けを借りながら，ご飯より好きな野球の記事だけは読めてしまうそうです．あるいはロンドンでもパリでも仙台でも，実際に訪れたことがある街についての文章と，一度も見たことがない街についての場合と，読んでいるときの「分かる」感じはまったく違います．それは，文章の背景，広い意味での「コンテクスト」がすでに分かっているからです．

　ひとくちに「コンテクスト」といっても，背景となる知識をいう場合，いわゆる「文脈」のようなその文章自体の流れを指す場合，その文章が書かれた経緯やジャンルを指す場合などさまざまですが，文章を正しく読み解くためにはこの「コンテクスト」を色々なレベルでおさえておくことが不可欠です．それが出来て初めて，見慣れない単語や，複雑な文章も，丁寧に読み解いていくことが出来ます．感覚を身につけるために，まずは「コンテクスト」を理解しやすい，自分のよく知っているテーマの文章から始めること，そしてそれを繰り返す，つま

り「たくさん読む」ことで，呼吸を身につけていくことが出来るはずです．つまりここでのポイントは，

> まず手にとる英文は，
> 好きで詳しいジャンルから

となるでしょう．

なぜ「多読」なのか

「精読」と「多読」を平行して行なうのが望ましいという考えを，私はこれまで繰り返し述べてきました．むずかしい文章を相手に精読の訓練ばかりやっていますと，誰でもくたびれるし，ときに自信を失います．英語に限らず何でもそうですが，初歩の段階では進歩が目に見え，学ぶのも楽しいのですが，中級を経て，上級にはいると，進歩はのろくなり，ときに退歩しているとすら感じて，やる気をなくすことさえあります．こういう段階で役に立つのが，平易な英語で書かれたものの多読なのです．

> 「自分にも読める」という自信と読む喜び

これは読み続ける意欲を高めるための特効薬といっていいでしょう．「自分には初級の文章は簡単すぎる」という方でも，少し行き詰まりを感じたときなど，いったん初級に戻って「多読」を試してみる価値は充分にあると思います．

また，文章を「読む」という頭の働きには，「慣れ」ということもひじょうに重要です．たとえ日本語の本でも本を読み慣れていない人には読書は苦痛なものです．ましてや外国語ならなおさら．自分の経験からも，英語への慣れを身につけるには多読がベストだと私は信じています．

「多読」に格好の素材

　こうした多読の素材として役に立つのが，いわゆるgraded readersです．英語を学習する人のために平易な英語で書かれた教材で，使われている語彙の数によって段階分けがされています．ベテランの書き手が定められた語彙の範囲内で執筆していて，内容は単純ながら大人でも味わえるように工夫されたものです．

　現在はこのgraded readersでも書き下ろしのものがほとんどのようですが，かつては「リトールド物」とよばれる「再話物」，つまり有名な作品を平易な英語で短く書き直した読み物が多く出ていました．分量にして，原作が300頁であれば30頁くらいでしょうか．活字も大きいので，実質は10分の1よりももっと少ないでしょう．

　でもしばしば誤解されるように，筋書きだけでは決してありません．会話もたくさんあるし，心理描写もあり，読んでいて充分わくわく出来るものになっています．こ

れらは，活字が大きいことからも想像出来るように，英米では元来，古典的な作品を子供向けに易しく書き直したものとして作られました．有名な例として，チャールズ・ラムが姉と共同で，シェイクスピアの代表作をお話の形で語り直した『シェイクスピア物語』があります．

Graded readers は，英米ともに教育を専門とする出版社が刊行していますが，どちらかといえばイギリスの出版社のほうが得意としているのは，昔からインドなどの植民地で英語教育の必要があったからでしょう．

進歩の実例

私自身が高校生の時，ある副読本で読んだ物語で読解力を飛躍的に身につけたという経験は他で書いたので，ここでは，私の助言に従って「多読」で英語への慣れを身につけた女子学生の例を紹介します．

その学生は，文法知識はあるし，語彙も 5000 語くらいは既にあったのですが，長文が読めませんでした．細切れの文章しか分からない，まさに木が見えても森が見えないのです．私は彼女に 20〜30 頁の平易な物語，旅行記，伝記，発明物語などを，辞典を引かずに読み通すように勧めました．最初は 400 の語彙のものでした．1週間に数冊読み，内容を私に報告させました．彼女は熱心に取り組み，次第に筋の報告に加えて感想まで書くようになりました．先を焦らず，同じレベルのものを必ず

数冊読むようにし，ゆっくりと難易度を高めました．

昔のことで，1冊400円くらいでしたし，途中から仲間を作りテキストを交換していたようでしたが，それでもかなりお金を使ったでしょう．それと引替えに，彼女は英語を自分の友人というか，身近なものに感じられるようになったようです．後日談になりますが，この人はイギリスに留学し博士号まで取ったのですから．「多読」がいかに効果的か，私自身も改めて実感させられた一例です．

『高慢と偏見』を易しく読む

ではここで，Oxford大学出版局から多数でている graded readers のシリーズから，1作を読んでみることにします．

1-3▶ It is a truth well known to all the world that an unmarried man in possession of a large fortune must be in need of a wife. And when such a man moves into a neighbourhood, even if nothing is known about his feelings or opinions, this truth is so clear to the surrounding families, that they think of him immediately as the future husband of one or other of their daughters.

'My dear Mr Bennet,' said Mrs Bennet to her husband one day, 'have you heard that someone is going to rent Netherfield Park at last?'

'No, Mrs Bennet, I haven't,' said her husband.

'Don't you want to know who is renting it?' cried Mrs Bennet impatiently.

'You want to tell me, and I don't mind listening.'

Mrs Bennet needed no further encouragement. 'Well, my dear, I hear that he's a very rich young man from north of England....

(Jane Austen, *Pride and Prejudice*, retold by Clare West)

【in possession of「〜を所有している」, fortune「財産」, encouragement「促し」】

これはジェーン・オースティン『高慢と偏見』の冒頭です。このイギリス小説は日本でも翻訳で以前からよく知られていますし、何回も映画化されていますので、ご存じの人も多いでしょう。少し補足しておくと、Netherfield Park はここではお屋敷の名前です。park は元来、大邸宅に付属する狩猟なども出来る私有地のことをいいます。

needed no further encouragement は、「それ以上の促しを必要とはしなかった」が直訳ですね。ベネット夫人は喋りたくてうずうずしていたくらいだ、というわけです。

原文を確認してみる

 この英文は graded readers シリーズの中でもレベルは最高の6で,使っている語彙数は2500語ですから,かなり原作に近い表現がされています.とくにいま引用した部分は,原作との違いが少ない箇所です.一般に,少ない語彙での書き直しに際しては,当然省略を大胆に行なわざるを得ませんが,あまりにも有名な箇所なので,むずかしい単語を大体同じ意味の易しい単語で置き換えたり,複雑な構文を単純にしたりという以外は,原文をほぼそのままに活かしてあります.

 では次に同じ箇所の原文を,数行だけ見てみましょう.

1-4▶ It is a truth universally acknowledged, that a single man in possession of a good fortune must be in want of a wife.

 However little known the feelings or views of such a man may be on his first entering a neighbourhood, this truth is so well fixed in the minds of the surrounding families, that he is considered as the rightful property of some one or other of their daughters.

 どうでしょう,問題なく読めたでしょうか.

翻訳を参照する

 この作品には,もちろん邦訳も数種類あります.中野

好夫氏の名訳を示しましょうか.

「独りもので,金があるといえば,あとはきっと細君をほしがっているにちがいない,というのが,世間一般のいわば公認真理といってもよい.

はじめて近所へ引っ越してきたばかりで,かんじんの男の気持ちや考えは,まるっきり分からなくとも,この真理だけは,近所近辺どこの家でも,ちゃんときまった事実のようになっていて,いずれは当然,家のどの娘かのものになるものと,決めてかかっているのである」

この訳を読んでからもう一度,両方の英文を読んでみてください.「内容を知っている英文は読みやすい」ことが実感出来ると思います.すでに翻訳がある作品の場合,

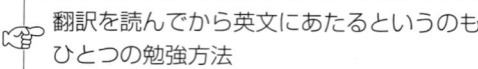
翻訳を読んでから英文にあたるというのもひとつの勉強方法

です.この例では原文との差がそれほど大きくありませんから,翻訳について,ひょっとして,graded reader の方から訳しても訳文はそう変わらないのではないか,という想像も可能かもしれませんね.しかし,並べて読みくらべれば,原文よりも楽に読めることは分かると思います.

語彙数の数え方

 ところで,「語彙数」というのはどのように数えられているかご存じですか? 例えば,ここに「750語レベル」の本があるとします.一般に中学3年生で1000語以下,大学生で5000語以下などと言われていますから,これは中学3年生以下です.これなら楽勝,と手に取ると,意外に分からないところがある――という体験はないでしょうか.

 これは語彙の数え方の問題でもあるのです.当然のことですが,単語の意味はひとつとは限りません.cold には「寒い」という形容詞の他に「風邪」という名詞もありますが,片方の意味しか知らなくても,cold を知っていると数えるのです.stand には動詞も名詞もありますし,動詞の場合,「立つ」だけでなく「耐える」という意味もあります.過去と過去分詞は stood ですね.さらに,put, up, with のそれぞれを知っていても,put up with が熟語として「我慢する」という意味になることは,知らなければ分からない.しかしどの場合も語彙数を数える場合は別のものとは数えないのです.

 もしも違う意味を違う単語と考えるとすれば,大まかな話ですが,750語レベルというのは実際上その4〜5倍だと考えるべきです.いわんや,2500語とあれば1万語以上ですから,graded readers とはいえ,ほぼ原文に近くなるのはお分かりでしょう.

この章でもこれから先はすべて語り直していない原文ばかりです．ただ先ほど述べたように，この章の目的は「たくさん読んで英語に慣れる」ことですから，比較的平易なものばかりを選んでありますので，安心して読んでください．

情報を読み取る

「たくさん読む」とは言っても，漫然と読むのは時間の無駄．具体的に何に注意しながら読んでいけばいいでしょうか．ここでのポイントは，

> ☞「必要な情報」を見逃さない

こと．文章全体の意味の流れをまとまりとしてつかんでいくということは，文章中にちりばめられた「必要な情報」を見逃さずにきちんと拾っていくということでもあります．その訓練には具体的な情報がしっかりつまった文章，例えば新聞や週刊誌の文章が素材としてよいでしょう．

英語の読解力のレベルとして，『タイム』や『ニューズウィーク』などの週刊誌が読めればもう充分に太鼓判がおせる，という話を聞いたことがあると思います．このアメリカ，否，世界の代表的な週刊誌がすらすら読めれば，さまざまなテーマについて，最新の話題を知ることが出来るでしょう．

最近は，インターネット上でもこうした週刊誌や新聞を読むことが出来ます．政治，経済，社会，スポーツ，自然科学，文化——幅広いテーマの中から自分の好きなジャンルの記事を探してみてください．知識が英語力の不足を補ってくれますから，予想外にすらすらと内容を読み取れるはずです．

まず「始まり」に注目
これらの名のある雑誌や新聞にしても，とても手が届かないような難解な英語ばかりで書かれているのかというとそうでもなく，案外気軽に読める記事も少なくありません．次の例文は，2誌の中でもより難解といわれる『タイム』誌からそのまま引用しましたが，充分読みこなせるものではないかと思います．

2005年に起こったスマトラ沖大地震にともなう，大津波についての記事です．明快な文章で，緊迫した状況が描写されています．具体的に情景を思い浮かべながら，読んでみてください．

1-5▶ A common human reaction to the trauma of a natural disaster is paralysis. But extraordinary events also evoke uncommon bravery. Erwin, a 37-year-old flower-seller in Banda Aceh, Indonesia, was driving to his home by motor-bike when the Dec. 26 tsunami hit.

(Anthony Spaeth, "The Kindness of Strangers", *Time*, Oct 2005)
【paralysis「金縛り」, evoke「喚起する」, bravery「勇気」】

　文章中の「必要な情報」を見逃さないためには，書き方の「定石」を知っていることも役に立ちます．

☞ 文章の冒頭をしっかり読む

ことは，どんな場合でも重要です．この文章の場合も，まず冒頭の数行で，話全体の主題が示されていることに注目しましょう．次に，主題を裏づける具体的な実例が提示されます．これは週刊誌などによくある書き方でして，読者は主題が具体的に分かってから読むことになるので，話についていくのが楽ですね．Erwin という人物がこの記事の主人公で，話はインドネシアの津波と勇気にかかわるものである，という情報をまず拾います．

緊迫した状況を追って
　では続きにいきます．

1-6▶ He found safety with hundreds of others on a humpbacked bridge arched above the swollen Aceh River. "The black water looked like heavy mud," he recalls. "It was filled with corpses, cars, dead animals. There was so much rubble you could hardly see the water." Suddenly, the crowd on the bridge heard a faint cry: "Papa, papa." Erwin scanned the river, but couldn't locate the source of the appeal. A man standing next to him pointed: "There's a little girl over there!"

【humpbacked bridge「太鼓橋」, swollen「水嵩の増した」, corpses「死体」, rubble「がれき」, scanned「ざっと見た」, locate「突き止める」】

　ここでいったん切りましょう。いよいよ具体的な事件の描写が始まりました。読んでみていかがですか。知らない単語がいくつかあるでしょうが、インドネシアで津波が起き、橋の上に避難していたとき、橋の下を流れる濁流から助けを求める少女の声が聞こえてきた、という状況は、はっきり理解出来たのではありませんか。先が知りたくなりますね。読みましょう。

　1-7▶ A child of about three was clinging to a wooden plank in the middle of the river. "There were so many men on the bridge," Erwin says, "but nobody made a move." A policeman with a video camera contented himself with filming the girl as she drifted by. "I realized then that nobody was going to help, so I ran to the riverside and waded into the water. It was filled with debris, and my feet kept getting stuck in fishing nets." After struggling for nearly 15 minutes, he reached the girl. "I yelled to the men on the bridge to get the girl from me because I was getting tired, but again, no one moved. I guess they were very scared. I thought I'd lose hold of her. Then I saw a young man going into the water, paddling toward me. I will never forget that moment in my life. I will never forget his face."

【wooden plank「木の厚板」, contented himself with「〜に甘んじていた」, waded「(水の中に入って)歩いた」, debris「残骸」, getting stuck「に引っかかって」, fishing nets「魚捕り用網」, lose hold of「〜から手を離す」, paddling「(浅い水の中を)歩いて」】

Erwinの体力が保ちそうもなくなった瞬間,誰も反応しないと諦めた橋上の群衆の中から,ひとり援助のために動く人が現れた.Erwinの絶望が希望に変わる心理状況が読者に明確に伝わります.

" "(quotation marks, カギ括弧に相当)によって会話をそのまま伝える直接話法をうまく使って,当事者の言葉を状況描写の中に組み込んでいますね.生の証言ならではの迫真性が,ルポの緊張感にもよく活かされています.「見てきたような」というドキドキした気持ちが味わえると思います.

救出劇の結末

ここまで読んだら,次にどうなったか,知りたくなるのは当然です.少女救出に夢中になり,英語で読んでい

Step I 〈英文〉に慣れる

るのを忘れられたら，しめたものです．さてどうなるか？ しっかり状況の変化を追っていきましょう．

1-8▶ The face belonged to Heru (Jack) Kurniawan, a 27-year-old who works at an amusement park. "It was obvious that someone had to do something," says Jack, "or both of them would drown." Jack waded to the middle of the river—"trying to avoid the dead bodies"—and when he attempted to lift the girl on his shoulder, she screamed in pain: her right foot was caught in a fishing net. Erwin struggled to untangle her while Jack concentrated on staying afloat. "I kept telling myself to hang on," Jack recalls, "or all of us would drown."

When the two men got the weeping child to the riverbank, they parted without introducing themselves. For eight months—until TIME reunited them last month—Jack believed Erwin was the little girl's father. He was mistaken. The two men were chance bystanders risking their lives to save a total stranger.

【or「さもないと」, struggled「努力した」, untangle「(網に引っかかった子供の足を)外す」, hang on「持ちこたえる」, reunited「再会させた」, bystanders「見物人」】

自然災害の恐怖の中でも人間の高貴な魂がキラリと光った，というこの話は，『タイム』誌が少女救出の8カ月後に取材したものです．冒頭の数行に勇気についての

前置きがあり，それから，事件を想起する２人のなまなましい証言を挿みながら，救出の経緯が述べられています．２人が名も名乗らずに別れた後，『タイム』誌が再会させて初めて，救出した男性はどちらも少女の父ではなかったという真相が分かり，話はより感動的なものとなります．話の伝え方が巧みで分かりやすい英語なので，どなたもしっかりと理解出来たと思います．

　同じ話でも，こうして日本語で説明されるのと，英語で読むのとでは味わいが少し違いませんか？　よく知らない構文，未知の熟語などがあると，「情報」を見落とさないように注意する過程で，否応なしに内容を丁寧に読むことになるように思いますが，どうでしょう？　さっと急いで読んだ英米人より，むしろ私たちのほうが文章を感銘深く味わえているのではないでしょうか．

推理小説の中の「手がかり」

　雑誌や新聞の記事とはまた違いますが，同じく「情報」を拾いながら読むことが必要な文章に，推理小説があります．何気なく書かれた描写の中にも，「犯人捜し」のカギがあるかもしれません．

　ここではイギリスの有名な推理小説家アガサ・クリスティの代表作の１つ，『５匹の子豚』という作品の一部を取り上げます．彼女の作品は，標準的で応用範囲の広い，しかも比較的平易な英語が使われていることでも知

られています.

　昔から英語を読む学習には推理小説がよいと勧められてきました. 英米では, 推理小説は多くの読者に歓迎されています. 幅広い読者が読みますから, 作者はむずかしい語彙は避けますし, あまり込み入った構文も使いません. その点が外国人の読者には好都合です. 何よりも,「犯人は誰だ?」という興味に引かれて, 英語学習に関係なく否応なしに先を読もうということになります.

　さて, この文章にはどういう「手がかり」が埋め込まれているか? 気をつけながら読んでみてください.

1-9▶ Hercule Poirot looked with interest and appreciation at the young woman who was being ushered into the room.

There had been nothing distinctive in the letter she had written. It had been a mere request for an appointment, with no hint of what lay behind that request. It had been brief and business-like. Only the firmness of the handwriting had indicated that Carla Lemarchant was a young woman.

And now here she was in the flesh—a tall, slender young woman in the early twenties. The kind of young woman that one definitely looked at twice. Her clothes were good, an expensive well-cut coat and skirt and luxurious furs. Her head was well poised on her shoulders, she had a square brow, a sensitively cut nose and a determined chin. She looked very much alive. It was her aliveness, more than her beauty, which struck the predominant note.　　　(Agatha Christie, *Five Little Pigs*)

【ushered「案内されて」, distinctive「際立った」, in the flesh「実物で, 生身で」, poised「つり合いの取れた」, predominant「主要な」】

　ベルギー生まれのイギリスの私立探偵エルキュール・ポワロのオフィスに依頼人が訪ねて来た場面です．文章は簡潔で無駄がありません．

　聖書とシェイクスピアに次いで多くの読者のいるクリスティですから，推理小説といっても昨今流行の猟奇的なものとは無関係な世界が展開しています．語釈も含めて，順を追って，「手がかり」を見落とさずに読んでいくことにしましょう．

「人物」の描かれ方

　第1節では，依頼人の女性を見るポワロの見方にinterest「関心」があるのは当然なので分かりますが，appreciation「鑑賞」とは何でしょうか？　「鑑賞するような目つき」であるのは，探偵という立場を離れて，女性に慇懃な中年男性として「鑑賞に値する」若い美女を見たというのでしょう．女性の容姿については第3節で取り上げられています．

第2節では,時制に過去完了が用いられているのに気づきますね.この節全体が,作者による解説というより,ポワロが思い出している内容の描写です.文頭にPoirot remembered that と補ってもいいですね.つまり,面会したいという依頼人の手紙からは,このような魅力的な女性が現れるとは予想出来なかったので,「あれ?」と思い,依頼状を思い出したのです.

　第3節で時制は過去,つまり物語の現在に戻り,第1節につながります.ここで,appreciation という語が使用された理由が,the kind of young woman that one definitely looked at twice だからだと説明されます.「確実に2回は見てしまうような若い女性」が直訳です.通りで出会えば,思わず振り返って見てしまうほど美しい,ということですね.服装については,まず good と述べ,それから具体的に説明しています.上層中産階級の女性の身支度です.

　次に,頭,肩,額,鼻,顎と,彼女の容貌についての詳細な描写が重ねられています.頭が well poised というのは,大きさが適切で,首の長さも適当であり,全体としてバランスがよい,ということ.square brow は「格好のよい額」です.brows とあれば「眉」になるので注意.determined chin は面白い表現です.直訳すると「決然たる顎」.英語では「顎」に意志の強弱が出るとされているのです.

最後の it...which の強調文は it...that の強調文と同じです．struck the predominant note は，彼女の残した印象の中でももっとも強烈だったもの，ということです．strike a note の原意は「ある音を響かせる」ですが，strike a new note「新しい音を響かせる→新機軸を打ち出す」strike a false note「間違った音を響かせる→見当はずれな発言をする」などのように比喩的に使います．

物語の始まり

　全体として，読者がポワロと同じ気持ちになって依頼人を眺め，どういう人物かをさぐりながらその運命に関心をそそられてゆく展開への導入部として，うまくまとまった文ですね．第2節の書き方で，ポワロの記憶を読者に共有させる仕掛けが効果を発揮しています．読者を話に巻き込む巧みな方法です．

　短い文章ですが，依頼人の与える印象に関して，firmness, determined, alive の3語が目立ちます．ここから，深窓の令嬢，というのでなく，自分で物事の正否を突き止めるのを好み，知的で活発な現代女性が想像出来るでしょう．こうした人物像も，このあとの物語を読んでいくための重要な「情報」「コンテクスト」です．

「易しい英文」にも色々

　どうでしょう，だいぶ頭が慣れてきたでしょうか．易

しい英文の多読は，知的な読者には一見物足りないように思われるかも知れませんが，多読の効果は単に英文に「慣れる」ことにとどまりません．読みやすい易しい文とはいってもさまざまなタイプのものがあり，書き手によって味わい・雰囲気・感じが微妙に違います．難解な英語だと意味を取るのに精一杯になる恐れがありますが，平易な文章が相手なら，作品の雰囲気にも注意して読むことが出来るでしょう．つまり，

☞ ただ読むだけではなく英文を「味わう」

経験が出来るということです．

　この章の最後に，同じ「易しい英文」でも，文章のタイプによって読んだときの感触が違うことを体験してもらいたいと思います．ひとつは論説文的なもの，もうひとつは人気のシドニー・シェルダンから，小説の一節を紹介します．

論理的な文章から
　まず，イギリス生まれのアメリカの古典学者として知られた，ギルバート・ハイエットのエッセイから．知的な大人の英語です．

1-10▶ Puppies do not merely run about and chase one another and try to catch rolling balls or falling leaves. No, they wrestle with one another, they fight, they try to kill one another, biting and clawing. Or so it seems. And yet, if they were really biting and clawing, showing genuine hate for one another and inflicting actual injuries and drawing blood, no one except a sadist would watch them with pleasure.

(Gilbert Highet, *Explorations*)

【clawing「爪でひっかいている」, Or so it seems.「というか, つまりそのように見える」, inflicting「与えている」, drawing blood「血を流させている」】

　子犬がじゃれ合っているところを眺めていると, ただ追いかけっこをしているだけではありません. 相当に手荒なこともします. 耳を噛んで振りまわしたりして, 怪我でもしないかとヒヤヒヤすることがあります. でも, まず大丈夫, 遊んでいるだけのようです. 普通ならとても見ていられないような様子なのに, 眺める人間がにこにこしていられるのは, どうしてでしょうか. ここはifに注目です. if以下のような状況ではないからこそ, 血を流すような喧嘩も見ていられるのですね.

　続けましょう. ここから得られる結論の部分です.

1-11▶ Although they are very young indeed, they know the difference between play and conflict. They know that when they pretend to bite their brother, he is not an enemy fighting for his life and threatening to take theirs, but rather a jolly companion; they also know that even if he is beaten and borne down and compelled to beg for mercy, he is not really conquered by a ruthless attacker, but outdone in a competition which is not fight but play.

【fighting for his life「必死になって戦う」, is...borne down「押し倒される」, ruthless「情け容赦ない」, is...outdone「負かされる」】

　子犬は遊びと喧嘩の区別を心得ている、と聞くと、今日の人間世界ではそれを知らない子供、いやときに大人が増えているのに思い至りますね.

　全体に論の進め方が説得的で、読者は著者に信頼感を抱くことが出来ます. they know という2語が3回も使われ、しかも構文が同じであるのに気づいたでしょう. 1度目の they know 以下の内容を、2文目、3文目と展開し、丁寧に説明していますから、読者は「なるほど、そうなのか」と思わず説得されて、頷くのではないでしょうか. 1文は長いのですが、論理的なので、かえって頭に徐々にしみこんでいくようですね.

ベストセラー小説から
　次に、易しいポピュラー小説として、シドニー・シェルダンの作品から一部を読んでみます. 代表作の『ゲー

ムの達人』からです.小説のヒロインである Kate の孫娘で Eve という悪賢い美女が,自分の女としての魅力を試してみたいという遊び心から,夫婦仲のよさで評判の年配の伯爵を誘惑しようとする場面です.ここは偽りの口実をもうけて伯爵に面会の約束を取り付ける電話を掛けているところです.

1-12▶ The following day, Eve telephoned Maurier at his office. "This is Eve Blackwell. You probably don't remember me, but—"

"How could I forget you, child? You are one of the beautiful granddaughters of my friend Kate."

"I'm flattered that you remember, Count. Forgive me for disturbing you, but I was told you're an expert on wines. I'm planning a surprise dinner party for Grandmother." She gave a rueful little laugh. "I know what I want to serve, but I don't know a thing about wines. I wondered whether you'd be kind enough to advise me."

"I would be delighted," he said, flattered. "It depends on what you are serving. If you are starting with a fish, a nice, light Chablis would be—"

"Oh, I'm afraid I could never remember all this. Would it be possible for me to see you so that we could discuss it? If you're free for lunch today...?"

"For an old friend, I can arrange that."

"Oh, good." Eve replaced the receiver slowly. It would be a lunch the count would remember the rest of his life.　　　(Sidney Sheldon, *Master of the Game*)

【rueful「困ったような」, serve「(食べ物を)出す」, Chablis「シャブリ(辛口の白ワイン)」, an old friend=Kate, the rest of his life「残りの人生の間(前に前置詞 for が省略されている)」】

　娯楽読み物ですから,あまり格調はありませんが,筋の運びは抜群です.会話もごく自然で,分かりやすい.話の展開はテキパキと素早く,読者は面白い筋を追うのに夢中で,次の頁を繰ってしまうでしょう.このごく一部だけでも,若い娘のしたたかさが鮮明に描かれ,読者は果たして成功するのか否か,強い興味をそそられるに違いありません.

　シェルダンはひじょうに多作で作品はいくらでもありますから,もしもっと読みたければ,ペーパーバックで簡単に入手出来ます.全部原文で読む自信のない人には翻訳もありますから,作中人物の関係がよく分かり,話が佳境に入るところまでは翻訳で読み,そこから原書に入るといいでしょう.あるいはそれもむずかしいと感じたら,全部翻訳で読み,印象に残った箇所を拾い上げ,そこがどういう原文で書かれていたのかを英語で読んでみるのもよいかと思います.

どうでしょうか，学者の文章と流行作家の文章が，全く違うタイプの英文であることが感じられましたか？
英文に慣れ，英語の感覚を身につけていくには，何よりも好きな文章を楽しく読むことが一番効果的です．小説でも新聞記事でも論説でも，読んでいて好きだなと思える文章をたくさん読むことで感覚を養っていきましょう．
　この，「多読」で養う感覚が，次章以降で取り組む本格的な精読で，必ずや活きてきます．

Step II

正確に読む
―― 1語1語を徹底的に ――

日本の英和辞典

さて，Step I では英文全体をマクロな視点から理解する訓練をしましたが，ここからはぐっとズームアップして，文章の細部をしっかり読み込む本格的な「精読」を始めることにしましょう．本章では，まず英文の一番小さな構成単位である「単語」から始めていきます．

単語の意味を理解するにはまず辞書ですが，日本の英和辞典がとても便利にできた，世界に誇ってよいものだと知っていますか？　英語以外の言語を学んだことのある人なら分かるかと思いますが，他言語にくらべて圧倒的に数が多く，用途もレベルもさまざまな英和辞典が多数刊行されています．

日本最初の英和辞典とされているのは1814年に写本として出た収録語数約6000のものですが，最初の印刷本としては1862年にでた語数約3万5000の『英和対訳袖珍辞書』が事実上もっとも早い辞典です．その後，長い伝統の中で競合しあって，各々の辞典の特長がみがかれてきたのでしょう．その質の高さには，英語を母語とする人たちも感心しています．

しかし多くの人は，このすばらしい辞典を充分に使いこなしていないのが実情です．辞典を編纂する人たちの良心的な努力を多少知っている私は，残念でなりません．

大学で英語を教えていて，特に気になるのが，英和辞

典を単語帳としてしか使わない学生が多いということです．例えばある日，教室で英語のエッセイを読んでいて，次のような文章が出てきました．

Miss Brown did not hesitate to point out her boss's mistakes. I thought she was a courageous girl.

前後の文章から，この Miss Brown は 20 代半ばの若い女性であることは分かっていました．ところが，訳すように言われた学生は，「ミス・ブラウンは，上司のミスをためらわずに指摘しました．私は勇敢な少女だと思いました」と訳したのです．私が「少女？」と聞いても，きょとんとしています．

まるで中学 1 年生の時に girl＝少女，と覚えたら，一生その訳語で通すつもりのようですね．でも考えてみてください．もし，girl に対して「少女」という訳だけ載せておけばよいのなら，辞書はもっともっと薄いはずではないですか．

英語と日本語の間に 1 対 1 の対応があるというのは，残念ですが，錯覚です．

> 英語と訳語は「1 対 1」ではない

まずはこのことをしっかり頭にたたき込んでください．ひとつの英単語に対応する日本語には広がりがあります．それを理解した上で各々の文脈で「意味」を考えなければ，「精読」は不可能です．

困った丸暗記

上記の例で言えば，girl を「少女」の意味で使う場合は little girl というのが普通で，little なしで単独に使うときは，まず「若い婦人」を指す場合がほとんどです．いくつか同様の，困った丸暗記の例を挙げましょう．

　　happy＝幸せな
　　water＝水
　　hot＝暑い
　　sleeper＝眠る人
　　quite＝全く

もちろん全部正しい訳語ですよ．しかしこれだけ暗記して満足し，コンテクストから考えればそれではおかしいと気づいてもなお辞典を開かぬ，ものぐさな人もいます．この5つの単語には，それぞれ順番に，適切な，湯，ぴりぴりと辛い，枕木，ほどほどに，という比較的よく使う意味もあるのです．

　私の失敗．海外のホテルでの朝食バイキングの場です．温かい飲み物の場所に「coffee, tea, water」と表示してありました．先に種明かしをすると，最後の「water」は，好みのティーバッグを選んでそこに注ぐお湯という意味だったのですが，私はつい「water＝水」だと思い，ティーバッグに水を注ぐのかと一瞬勘違いしました．お湯であってもわざわざ「hot water」とは言わないこと

を知識としては知っていても，最初に学習したときの記憶がいかに強くて，気をつけないと誤るかという恥ずかしい例です．

辞典を使い込む

外国語を学ぼうとする人は誰しも「語彙数を増やしたい」と思うもので，そのための参考書や問題集もたくさん出ています．受験のための急場しのぎとして，なかには最も頻繁に使われる意味だけを記した単語帳もあります．暗記のためにはそれなりの役目を果たしてくれるかもしれませんが，ここで覚えた訳語をただ原文に当てはめただけでは，上記のように単純な間違いをおかしてしまうこともあります．中学生の時から聞かされて耳にたこが出来ている人もいるかもしれませんが，少なくとも「英文を読む」に際しては，とにかく，

☞ ひたすら辞典を使い込む

というのが，面倒でも得策なのです．

しかし「辞典を引く」といっても，もちろん開くだけでは英文を読み込む助けにはなりません．たくさん載っている意味の中から，その時その時の文脈にしたがって語の意味を確定していくことが必要ですし，意味の近い英単語をどう使い分けるかといったことについては，英和辞典よりも英英辞典が役に立つこともあるでしょう．

ごくごく稀にですが辞典が間違っている場合もあります．辞典とのつきあい方にも色々あるのです．

　場合に応じて辞典を使い分けられるようになるには，とにかく自分で何度も何度も辞典を引くことが，急がば回れの早道です．

「丸暗記」訳例

　では実際に文章を読みながら考えていくことにします．
　ひと昔前の話ですが，ロンドンには「幽霊の棲む家」がたくさんありました．お化け屋敷というと，何か遊園地やテーマパークにあるものだと思う人が今なら多いでしょうが，日本でも昔は「幽霊屋敷」が普通の住宅街の中にたいてい1軒はあって，いたずらっ子のひとりだった私も「探検ごっこ」と称してそこで遊んだものです．古いものを大事にするイギリスのことで，とくに田舎ならいかにも幽霊がいそうな家はいくらでもあったと想像されます．家といっても庶民の家ではなく，大きな邸宅，由緒のあるお屋敷のことですね．

　さてこの幽霊たちは，ロンドンに人や車が増えて大都会になり，騒がしくなってゆくにつれて，棲みにくい思いをしているのではないでしょうか．そんなことを思いながら，次の文章を読んでみてください．

2-1▶ The ghosts of London evidently dislike the

Step II 正確に読む

swinging metropolis. In Victorian times every district could boast an ancient house with a reputation for ghostly knockings, resulting in long periods when the house agent's boards were displayed in vain in the unkempt garden.

(John Harries, *The Ghost Hunter's Road Book*)

【boast「自慢する」, reputation「評判」, boards「看板」, unkempt「手入れされていない」】

　まずは「丸暗記訳語」をそのままに，大体の意味を取ってみましょう．

　「ロンドンの幽霊は明らかによく揺れる都会を嫌っている．ヴィクトリア女王の時代には，どこの土地でも幽霊がノックするという評判のある古い家があるのを自慢にしていた．その結果は，荒れた庭に家の管理人が立てた看板が長期に空しく置かれることであった」

　さて，この訳の問題点はどこでしょうか．少し丁寧に見ていくことにしましょう．

よくある間違い

　まず1行目の evidently ですが，これを「明らかに」とするのはちょっと考えものです．幽霊がどう考えているのか，人間に「明らかに」は分からないはず……という点はとりあえずおいておくとしても，とにかく，日本

語で「明らかに」に相当すると考えられている英語の副詞は用心する必要があるのです.

例えばapparentlyという単語は，皆さんどういう意味に取っていますか？「見たところ～のようである」と答える人が多いと思います．おそらく20代以下の読者は皆さんそうでしょう．それで正しいのです．けれども，数十年前に同じ質問をしたとすれば，「明らかに」と答える人が90%くらいだったでしょう．それも仕方のない話で，ほとんどの英和辞典にそう書いてあったのです．今はどの英和辞典を見ても，「どうやら～らしい」が1番目にあり，「明らかに」は2番目，3番目になっています．はっきり言って昔の英和辞典は誤っていたので，多くの人が訂正を申し入れて，ようやく直ったのです．「明らかに」と取ってもよい場合もむろんあるのですが，少ないのです．

20世紀半ば，私が大学に入学した頃は，下調べをしてきたクラスの誰かが当てられて訳すとき，原文にこの語があれば迷わず「明らかに」と訳したものでした．先生によっては「辞典にはそう書いてあるけど，違う」と言って，apparentlyはappearの派生語だから「～のように見える」「見たところでは」と訳すように注意する方がいたのを覚えています．（ついでながら，辞典の場合，多くの人が使っているうちに間違いが訂正されていくため，初版でなく改訂版のほうが価値があります．念

英英辞典を引いてみる

evidently に戻ります。試しに英英辞典を引いてみましょう。

こういう微妙な違いについて、説明が詳しいのは『コウビルド英英辞典 *COBUILD*』です。

【evidently】to show that you think something is true or have been told something is true, but that you are not sure, because you do not have enough information or proof

とあります。つまり、真実だとは思うが、証拠などに欠けるので確信はないことを示すというのです。先ほどの文章の場合によく適合しますね。

むろん、evidently には「証拠があって明白だ」という使い方もあります。結論的に言うと、「明らかに」とするか、「～らしい」とするか、コンテクストを充分吟味して決めるべきだ、ということです。「1対1」で訳語を暗記してはいけないということが、よく分かる例ではないかと思います。

活用形の調べ方

さて次に、swinging を「よく揺れる」としてありますが、どうでしょう。確かに、swing は名詞なら「ブラ

ンコ」になることからも分かるように，動詞なら「揺れる」が代表的な意味ですし，幽霊も棲む所が揺れたりしたらそれは落ち着かないでしょう．でもご存じでしょうか，イギリスは，日本と違い地震のないところなのです．そこで，知っているつもりでも，念のために，辞書でingのついたswingingを調べると，「活気のある」「にぎやかな」という意味が口語の用法としてあるのが分かります．

いうまでもなく，ロンドンはヴィクトリア女王の時代にも首都として繁栄していたわけで，この次の文章の内容から判断すると，その頃はまだ幽霊もロンドンのあちこちに棲んでいたようですね．それにこのswingingは，ヴィクトリア朝ではなく現在のロンドンを表す語です．おそらく，一般的に「にぎやか」というだけでなく，20世紀以降の大都会の「喧噪を極める」雰囲気を示す語として使われているのでしょう．

一般に，動詞のing形（現在分詞）やed形（過去分詞）は，以前は語幹の動詞を知っていれば文法の知識によって意味が推測できるというので，辞典の見出し語にはなっていないのが普通でした．例えばsurpriseが「驚かせる」ですから，その過去分詞surprisedは「驚かされた，驚いた」という意味であるのは文法知識があれば分かりました．surprisingも現在分詞の使い方を知っていれば，「驚かすような，驚くべき」の意味だと容易に推

測できるため，わざわざ見出し語に挙げて意味を説明するのは，紙面の無駄だと考えられていたのです．

しかし現在では，文法知識がない使用者にも親切に，という方針で，ひじょうに多くの動詞の過去分詞形・現在分詞形が形容詞として見出し語になっています．swinging も見出し語としてたいていの英和辞典に出ているので，確認してみてください．

訳語は選んで決めるもの

その他，たとえ「間違い」ではなくても，ちょっとした訳語の選び方で意味が全体に合わなくなってしまうこともあります．

まず every district は「ロンドンのどの地域でも」とすべきですね．「どこの土地でも」とすると，イギリス全土のことになってしまいますが，ここはロンドンに限っての話です．また，いかにもイギリスらしいニュアンスを感じるのが，boast という語でしょう．幽霊の存在を誇るとは，過去，伝統，由緒などをひじょうに尊ぶイギリスならではの話だと思います．

しかし「存在を誇る」といっても，現実には「看板」を出したところで借り手はまず居ない，という建て前と本音の矛盾が面白いですね．ここでも内容に応じて訳語を工夫して，幽霊が「ノックする」ではなく「戸をノックする」のようにするほうがいいし，ただ「出る」「出

没する」「徘徊する」などとしてもいいでしょう.「ノックする」でも間違いではありませんが, 全く受ける印象が違いますね. つまりポイントは,

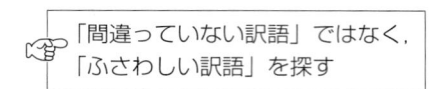

> 「間違っていない訳語」ではなく,
> 「ふさわしい訳語」を探す

ということなのです.

ではこうした読みを活かして訳し直してみます.

「ロンドンの幽霊はどうやらうるさくなりすぎた大都会が嫌いなようだ. ヴィクトリア時代には, ロンドンのどの地域でも, 幽霊が出没するという評判の, 由緒ある屋敷の存在を誇っていたものだ. もっともそういう噂が, 屋敷の荒れた庭に, 不動産屋の売家の看板が長々と野ざらしで立っているという結果をもたらしたわけだが」

幽霊か, 人か？

この文はイギリスで刊行されている『ゴーストハンターの道路地図』, いわば「ロンドン幽霊名所案内」という, いかにもイギリス的なユーモア満載の本から取ったものです. 先を読んでみましょう.

2-2▶ If the houses have not been bulldozed they have been divided into flats; the rents are never at bargain rates because of the spectral tenants who long ago insisted on sharing the accommodation. Possibly these uneasy spirits still make themselves known in their disturbing manner as they used to do.

【rents「家賃」, at bargain rates「特価で」, spectral「幽霊のような」, accommodation「住む所,家」, disturbing「不安にさせるような」】

　前節と同じように,ざっと「1対1」で訳してみます.
　「もし屋敷がブルドーザーで取り壊されなかったとすれば,いくつかのアパートに分割されている.ずっと以前に同居を主張した幽霊のような間借り人のために,家賃が安くなることは決してない.多分,こういう成仏できない霊は,昔と同じく不安な方法で自らの存在を知らしめているのであろう」
　丁寧に見ていきましょう.まず flat はアメリカ英語の apartment に相当する語ですが,キッチン,バスルームなどを含む数室からなる一世帯用の住居をいいますから,日本語でいえば「マンション」あるいは「マンションの一室」ですね.古いお屋敷を分割して,数世帯で住んでいるのです.その家賃は安くないようですが,問題はその理由です.
　その前にひとつ確認しておくと,the spectral tenants「幽霊のような間借り人」というのは,「幽霊」でしょうか,「人間」でしょうか.英語は同じ語の繰り返しを避

けるので ghosts ではなく別の単語を使用していますが,むろん,「幽霊」を指します. こういう場合,

☞ 英語は違っても,訳語は同じでいいこともある

と知ってほしいのです. むしろ同じがいいのです!

熟語にも充分注意

さて, because of の訳語を考えてみます.「because of」が理由を表す熟語だというのはご存じのとおりですね. 例えば「I didn't go out because of the rain.(雨のために外出しなかった)」のように使います. しかしここでは, 型通りの「〜のために」という訳語をあてはめただけでは, 分かりにくい部分が残るでしょう.

ここでどうするか. 先ほどの「ひたすら辞典を使い込む」というポイントを思い出して, 試しにこのイディオムの中核である because の頁に目を走らせましょう. ヒントが見つかることもあります.

because をどの英和辞典で引いてみても, 否定文とともに使うときの意味として,「……だからといって(〜ない)」と出ていますよ. 基本的な暗記用例文としては,

You should not despise a man because he is poor.
「貧乏だからといって, 人を軽蔑すべきでない」
があります. 貧乏以外の理由, 例えば傲慢だというような理由で軽蔑するなら結構だが, 貧乏が理由なら許され

ないというのです．これを「貧乏なのだから，人を軽蔑すべきでない」としたら誤りですね．今の場合も，「〜が同居を主張したからというので割安になることはない」とすれば，しっくりくるのではないでしょうか．because の前に not が来た場合の扱いとして，覚えておくと便利です．

単語の場合ももちろんですが，

> ☞ 熟語についても「1 対 1 記憶」は危険

です．例えば at large は「一般の」という意味がある一方「犯人などが野放しになっている」という意味でもよく使います．kick off はサッカーなどで試合開始するという意味だけでなく，俗語ですが「He kicked off at last.(彼はとうとうくたばった)」という意味もあります．他にもいくつでもこのような例が挙げられます．

文章の流れの中で

さて，残った問題点を確認しておきます．「多分」のような，可能性にかかわる副詞はいくつかありますが，ここで使われている possibly は，例えば probably よりずっと確実性が低いことを覚えておきましょう．perhaps, maybe よりも低く，訳語としては「ひょっとすると」となります．例文 2-1 の 1 行目に「幽霊は最新のやかましい都会は嫌いらしい」とあったことを思い出して

ください．今の都会には幽霊はいないらしい，それなのに「多分今も昔のやり方をしている」というと，かなり高い確率で今も幽霊たちがロンドンに棲んでいるということになり，おかしいですね．ここは，ごく低い可能性として「ひょっとすると，万一のこととして，今も〜かもしれない」と断っているのです．

　uneasy spirits を「成仏できない霊」とするのは，意味はそのとおりでしょうが，日本的すぎる表現のようにも思えます．uneasy は「落ち着かない」ですけれど，uneasy spirits 全体で ghosts の言い換えと考えるほうが適切でしょう．幽霊とは，墓場に落ち着いていられないので浮き世に出没する霊のことだからです．

　最後に disturbing ですが，boring「(人を)退屈させる」や，「exciting(人を)興奮させる」と同じく，「自分」ではなく「他人」を不安にさせるという意味なのをしっかり理解しておきましょう．少し言葉を補いながらもう一度訳し直しておきます．

　「こういうお屋敷のうち，ブルドーザーで取り壊されるのを免れたものについては，内部を改装して何世帯かのマンションとして現在利用されている．その家賃は，ずっと昔同じ屋敷に住まわせろと頑張った幽霊がいたからというので，特別に値引くことは全くない．ひょっとすると，昔ながらのやり方で騒がせているヤツがまだ棲んでいる可能性はなきにしもあらずだけれど」

これなら原文に合わせて少しはユーモラスな感じが出せたでしょうか.

なぜ「1 語」にこだわるのか

さて, そろそろ, 「英文をすらすら読めるようになりたいと思ってこの本を手にしたのに, 単語をひとつずつ読むなんて面倒だ」と思い始めた方もあるのではないでしょうか. なぜこんなにまでして, 1 語ずつ「ふさわしい訳語」を探さなければいけないのか？

そういう疑問を持たれた方のために, まずは, 前節でも少し触れた「perhaps」をどう訳すかによって, 文全体の理解がどのように変わってくるか, ひとつ実例を見てみることにします.

あるイギリス人作家についてのフィクションです. 同性愛者への嫌悪感が強かった時代のこと. この作家は, 自分の作品の中では微妙な男女関係をテーマとして描くのですが, 実生活では独身で, 女性との交際も避けており, メンバーズ (Members) という名の美青年の秘書を雇っています. そこでもしかして同性愛者ではないかと作家の私生活を探ってみたけれども, 新しい事実は何も発見できなかった……というところで, 次の文が続きます.

2-3▶ This did not prevent the circulation of a certain amount of rather spiteful badinage on the subject of his secretary. Members was impervious to any such innuendo, perhaps even encouraging it to screen his own affairs with women.

(Anthony Powell, *The Acceptance World*)

【spiteful「悪意に満ちた」, badinage「冗談」, impervious to「〜に鈍感な」, innuendo「あてこすり」, screen「覆い隠す」】

perhapsの手前まで,まず訳しておきましょう.

「それでもなお,青年秘書との間柄に関して,多少とも意地悪な揶揄が流布するのは,避けられなかった.そのような当てこすりに対してメンバーズは少しも動じなかった」

「多分」と「ひょっとすると」
さてこの後について,2種類の訳を挙げてみます.
1) perhaps = 多分,とした場合
「多分,自分の女道楽を世間の目から逸らすために,噂を煽るようなことさえしていたのだろう」
2) perhaps = ひょっとすると,とした場合
「ひょっとすると,自分の女道楽を世間の目から逸らすために,噂を煽るようなことさえしていたのかもしれない」
「多分」でなく「ひょっとすると」が正しいのですよ,と言ってしまえばそれまでですが,多少なりとも当時の

風俗習慣を知っていると,「多分」では理屈が合わないと感じます.これは1930年代を背景とした話で,この時期のイギリスでは青年が複数の女性と深い関係にあるのはあまり問題にはなりませんでしたが,同性愛者であるのは法的にも糾弾されていました.

例えば19世紀末の唯美主義の代表的詩人・劇作家として令名の高かったオスカー・ワイルドは1895年に同性愛の罪で有罪となり,2年間の懲役に処せられています.同じく同性愛者であった作家のサマセット・モームは青年期にこの事件を知ると,一生そのことを隠そうと決意し,事実,1965年に没するまで隠し通しています.

このような時代にあって,女性関係を誤魔化すのに同性愛関係を使うということはまずあり得ないわけです.一般に日本語では,あり得ないほど可能性の低いことは,「多分」ではなく,「ひょっとすると」「もしかすると」と表現するのではないでしょうか? もっと深読みするなら,噂を否定しないだけでなく,さらに煽るなどという,まずあり得ないことすらやりかねないほど,この秘書は女性関係が乱れていたのでそれを隠そうとした,という話の含みも,ここから見えてくるわけです.

微妙な差ですから,「どちらでも同じではないか」と,違いがよく分からない人もいるかもしれません.しかし「台風は多分上陸するでしょう」と「台風はひょっとすると上陸するかもしれません」とでは差があると思いま

す．私は，後者なら，忙しければ迎える準備はしませんね．皆さんはいかがでしょう？

thought もさまざま

1語1語を丁寧に，しかも「1対1記憶」に頼らずに，といっても，最初はとにかく「最大公約数的な訳語」をまず覚えて，「大体の意味」を理解するしかないのでは？と思う人もあるでしょう．

もちろん，最初は誰でも「大体の意味」から始めることになります．しかし，その先の目標として，

> ・単語には意味の幅があること
> ・多くの単語は文脈＝コンテクストによってはじめて意味が定まること

を，しっかり認識しているといないとでは大違いです．

例えば，この後で見る例文にも出てきますが，「thought」という単語．これを名詞で使う場合，皆さんはどう訳されるでしょうか．辞典には，「思想」「思考」「考え」「配慮」などの訳が登場していますが，ここは日本語で考えてみてください．私たちは日本語の文章の中で，「思想」と「考え」を，全く同じように使っているでしょうか．そんなはずはありませんね．

「ピンぼけ訳」とは

微妙にニュアンスのずれた「大体の意味」を重ねていくことによって，訳文全体が「ピンぼけ訳」になってしまうのはままあることです．ピントの甘い写真に感じるのと同じ隔靴掻痒の感，そこを乗り越えられるかどうかが大きなカベなのです．もうひとつ例文を見てみましょう．

人生に悩みはつきものですから，誰でも迷うことがあります．そんなときに，信頼出来る人がいれば，相談したいというのが人情です．世界中の新聞雑誌に身の上相談の欄がありますし，盛り場には必ずと言っていいほど運勢判断の易者もいます．ところで相談される側の人は，どんな気持ちで助言をするのでしょうか．助言を求められるというのですから一応信用されてのことでしょうが，進んで応じる人，断る人，さまざまです．次の例文の筆者はどうでしょうか．

2-4▶ It is a dangerous thing to order the lives of others and I have often wondered at the self-confidence of politicians, reformers and suchlike who are prepared to force upon their fellows measures that must alter their manners, habits and points of view. I have always hesitated to give advice, for how can one advise another how to act unless one knows that other as well as one knows oneself? Heaven knows, I know little enough of myself: I know nothing of others. We can only guess at the thoughts and emotions of our neighbours. 　　　　　(Somerset Maugham, "The Happy Man")

【reformers「改革者」, suchlike「その種の人」, measures「手段, 対策」, alter「変更する」】

少し難解な箇所もありますが, まず読んでみましょう.

「間違い」ではないけれど

一読して, この著者は, 慎重というか, 内気というか, とにかく気軽に人に助言を与えるタイプではないということは分かるかと思います.「大体の意味」を拾ってみましょう.

「他人の人生について命令するというのは, 危険なことである. 私は, 自分の仲間たちに, 彼らの風俗, 習慣, 物の見方を変革させるに違いないような手段を押しつけようとする, 政治家, 改革家, 及びそれに類する人々の自信を, しばしば不思議に思ってきている. 私は常に他人に忠告するのに躊躇してきた. なぜかというと, その他人のことを, 自分が自分のことを知るのと同じくらいよく知るのでなければ, どうして他人にいかに行動すべきか, などと忠告することが出来ようか? 神のみぞ知ることだが, 私は自分のことについてもほんの僅かしか

知らないし，他人のことは何にも知らない．我々は隣人の思想や感情を想像できるだけである」

　一応の内容はこれで取れているように見えますが，英語と日本語の1対1の置き換えに頼りすぎて，焦点がぼけてしまっています．さて，何がどうずれているのでしょうか．以下，「1対1」訳語にとどまらない「精読」を実践してみます．

1語1語，丁寧に

　まず，最初の order を「注文する」や「命令する」にすぐ置き換えるのは，この場合は合いません．「(生き方に関して)指図する，忠告する」などの語なら，しっくりきますね．wondered at も機械的に「不思議に思った」としてしまいがちですが，「よくもまあ，大胆なことをするものだな，あんなことしてよいのか」という意味合いを持たせて，例えば「驚き呆れる」のような，批判の気持ちが込められた訳語のほうが適切です．これはわりとよくある使い方で，「I often wonder at his indifference to his dog.(彼が自分の飼い犬に無関心なのにはいつも驚かされる)」というようなときに使います．suchlike についても辞典を引くと，この例文のように代名詞として使うのは口語的であることが分かります．ここでは「そういうたぐいの連中」に相当する軽蔑的な表現で，これも関係代名詞 who の先行詞のひとつです．

are prepared to は「～する心構えができている」が一般的な訳し方ですが,「～してもいいと思っている」とすれば, ここではしっくりくるでしょうか. fellow については何も考えずに「仲間」とする日本人は呆れるほど多いですが, これも問題です. 仲間という以上, 多少とも直接知っている人を指しますが, 今の場合はそうではない人も入ります. それをふまえて「他の人たち」などとすべきですね.

measures は, それを提案するのが政治家なら「政策」, 宗教家なら「教え」, 教員なら「教訓」とするのがふさわしいような語ですが, ここでは色々なタイプの「助言者」が話題になっていますので,「施策」などが無難でしょう.

6行目, for how can one advise 以下は疑問文になっていますね. これは疑問といっても修辞疑問です. 型通りに訳すなら,「一体どうして……出来ようか, いや出来ない」ですね. つまり for 以下は, one cannot advise another... と書き換えても同じことになります. that other は1行上の another を受けて「その他人」というのですが, him とか her という代名詞でもかまわないところです.

Heaven knows は「神のみぞ知る」?
さて, 先ほどの訳例で一番問題なのは Heaven knows

で，これを直ぐに「神のみぞ知る」と機械的に訳す人がまだあるようです．「fellow＝仲間」と同じ発想ですね．この章のはじめで，コンテクストを考えず機械的に使ってしまうことの多い訳語を挙げましたが，これもその典型でしょう．おそらく自分でも気づかずに「1 対 1」にとらわれてしまっている語というのは皆さん色々とあるはずです．もちろん単語の意味を覚えることは重要ですが，自然に口から出るほどに覚え込んだ語ほど，その訳語に束縛されて，それぞれの文章に応じた自由な理解を阻害されることもあるので，要注意です．

そこで Heaven knows，知っている方もあるかもしれませんが，これは，
「神のみぞ知る」→「(神以外には)誰も知らない」
「神も知っている」→「誰でも知っている」
という，全く正反対の 2 つの意味があるのです．ここではどちらでしょうか．両方の意味をあてはめてみて，よく考えれば，後者だと分かりますね．コンマでいったん切れている場合は後者の意味になることが多いので，これもヒントになります．訳し方としては，「誰でも知っている」→「確かなことだが」などもあります．

どちらの意味も可能なときは……

どっちにも取れる表現はどの言語にもありますし，母語の場合はあまり迷わないのですが，外国語の場合は気

をつけなくてはいけません．

　私にこんな経験があります．英語も米語もよく知っている日本人に私の著書を送ったところ，英語で礼状がきました．そこには Thank you for your quite interesting book. とありました．quite は米語なら very と同じですが，英語だと「ほどほどに」という意味にもなるのです．私は当惑しつつ，その人が親切だというコンテクストから very と同じだと解釈して自分を安心させましたが，未だにそれで正しいか疑心暗鬼でいます．

「違いの分かる」人になる

　先ほども触れましたが，最後の thought も機械的に「思想」とする人が多いようです．絶対に間違いだというのではありませんが，「他人が考えていること」あるいは簡単に「考え」としたほうがしっくりきます．では，これらの注意を活かして，通りのよい日本文にしてみましょう．

　「他人に生き方について指図を与えるなど，恐ろしくてできるものではない．だから，政治家，改革指導者，あるいはそれに類した連中が，人々に対して，態度，習慣，物の見方まで変えざるを得ないような施策を押しつけてそれでかまわないと思っている自信にはしばしば呆れている．私自身は忠告を与えるのを常に躊躇してきた．自分のことと同じくらい他人のことが分かっていない限

Step II 正確に読む

り，他人に行動を指図するなんて，出来っこないからだ．しかも，誰であれ自分のことさえよく分からないのに，他人のことなど分かるわけがないのは絶対に確実だ．他人の考えや感情など，せいぜい推し量るくらいが精一杯だ」

　この訳を最初の訳とくらべて違いを理解してください．
　この筆者は，単に慎重というだけでなく，他人に平気で踏み込んだ助言をする人に対して批判的であることが，この訳でならよく分かってきたのではないかと思います．「何となく自分はそうすることをためらう」という文章と，「したり顔で他人に忠告するなんて本来無理なことではないか」と苦言を呈する文章とでは，書き手の考えも，読むほうの印象も本来全く違うはずですね．

「ピンぼけ訳」から抜け出すために

　ここまで読んできて気づかれたかと思いますが，「1対1」の丸暗記訳語に頼ったり，何となく英語を日本語に順番に置き換えたりという「アバウト」な読み方が，「全文を読み終えても，結局何のことかはっきりしない」という悩みの原因であることがひじょうに多いのです．「大体こんな感じ」として訳された日本文は「ピンぼけ訳」にしかなりません．

　「多分」にするか「ひょっとすると」にするか，あるいは「心構えがある」にするか「してもいいと思ってい

る」にするか，そんなことは日本語の問題,「翻訳」の問題で，自分には関係がない……そういう方もあるかもしれません．しかし，この本で取り上げている例文をしっかり読み込んでいただければ分かるように，

> 「何となく」の訳語しか使えないということは，ぼんやりとしかその文章を読めていないということ

なのです．

　「翻訳」の1歩手前として，その文章の内容がはっきりと隅々までクリアに分かる，という快感は，外国語に接する過程では何物にも換えがたいものです．しかし，それを味わうには，面倒でも，本当に1語1語の訳語を吟味しながら，「精読」を重ねていくより他にないのです．

　さて，こうしてひとつひとつの語の意味を正確に定めていくために必要不可欠なのは，文全体の「筋」を正しくたどっていくことです．次章ではそのためのヒントをご紹介することにしましょう．

Step III

筋を読む
—— 論理の継ぎ目が肝心 ——

「筋」とは何か

囲碁や将棋の世界では，道理にかなった手の進め方のことを「筋」と呼ぶそうです．英文にも必ず，論理にかなった意味の展開，「筋」というものがあります．「コンテクスト」という言葉ではピンとこない人も，この「筋」という言葉なら，少しイメージがわくのではないでしょうか．Step Ⅱでみたように，筋を見失わず，ひとつひとつの単語の意味を正しい流れの中に読み解いていくことは，英文の読み方としてとても重要ですが，これはそう簡単ではありません．

とくにつまずきやすいのは，「論理の継ぎ目」となる箇所です．小さくは単語や語句の単位から，大きくは節や章まで，文章の中にはいくつもの「切れ目」があります．それは逆に言えば，意味の「継ぎ目」ということになるでしょう．

これまで述べてきたことを「〜ということである．だが，しかし〜」と転換している場合も，「さらに〜」と発展させている場合も，単純に言い換えている場合も，「継ぎ目」であることに変わりはありません．あるいは，英語で多用されるのは，注釈や補足などの意味合いで「本筋」から少しそれた文章の挿入です．それらを適切に見分けて位置づけることも「筋」を的確につかんでいくためにはとても重要です．

「読ませる文章」の思い出

　もちろんすべての英文が，「筋」が通って論理的に書かれているというわけではありません．しかし日本語にくらべると「筋」を通そうという意欲が濃厚であるのは確かです．

　あるとき大学で，自由英作文のゼミに出ていた4年の学生から，アメリカの大学院に留学したいので推薦状を書いてほしいと依頼されました．高校のとき AFS (高校生の交換留学を運営している民間団体)ですでに留学を経験していて作文力のある学生でした．留学する目的，合格してからの学習計画などを書いた長文のエッセイを渡されました．

　そのエッセイを読み驚嘆しました．国際関係論を大学院で学ぶのになぜアメリカの大学院を選ぶかから始まって，過去の勉学の中味，今後の計画など，極めて論理的に書かれていました．とくに感心したのは，ひとつの文から次の文に移るときの「筋」の一貫した流れの見事さでした．切れ目ごとに，適切な「継ぎ目」となる接続詞があったり，接続詞がなくても読む者が自然に補って読むようになっていたりするのです．文から文へ，節から節へ，頁から頁へ私は引き込まれて読みました．最後に「それ故，この大学院で学ぶべきだと信じます」という結論に至って，私は，そのとおりだ，はい，当大学にい

らっしゃい，とつぶやきました．事実，彼女は応募したすべての大学院から合格の通知がきて嬉しい悲鳴をあげることになりました．

　もちろん，このように論理が一貫した英文でも，読み手が「筋」をしっかり捉えなくては，書き手の言い分は分かりません．そこで，この章では，とくに英語ならではの「論理の継ぎ目」に注意しながら，「筋」を読み解くためのヒントを考えていきましょう．

「接続」から生まれる意味

　「論理の継ぎ目」といっても，抽象的なことではありません．最も単純にいえば，

> 文と文の間にはどんな場合でも，「形の切れ目」があると同時に「意味のつながり」がある

ということです．まずは少し短めの文章で，「継ぎ目」を丁寧に追いかける練習をしてみます．

　文と文をつなぐものといえば「接続詞」．そして「接続詞」といえば，誰でも思い浮かぶのが，

　　and＝順接，そして

　　but＝逆接，しかし

でしょうか．さすがにこれだけ単純な単語では間違いようもない，と思う方もあるかもしれません．しかし，文Aと文Bが接続詞でつながれているということは，そ

Step III 筋を読む

こに何らかの「論理」が生まれているということなのです．ただ「そして」「しかし」と置き換えて満足するのではなく，どういう「筋」がそこにあるのかを意識すると，内容の読み取りにぐっと深みがでてきます．これはむしろ，「国語」の問題に近いかもしれませんね．

次の文章は，舞台は 1930 年代，アメリカ南部のイチゴ畑です．物語の始まりで，農民たちが畑から畑へと移動してイチゴ摘みを忙しく行なう様子を説明する箇所です．

3-1▶ They slept in barns or any place they could find. And, because the season was so short, everybody had to work from sunrise to sunset.

We used to have the best times picking strawberries. There were always a lot of girls there and it was great fun teasing them.

(Erskine Caldwell, "The Strawberry Season")

まず「文字通り」に解釈してみます．
(A)「彼らは納屋あるいは彼らが見つけることの出来るどんな場所ででも寝た．そして，季節はとても短いので，誰もが皆日の出から日没まで働かなくてはならなかった．

われわれはイチゴ摘みをしながらとても楽しい時間を過ごした．そこには常にたくさんの女の子がいて，彼女

たちをからかうのは大きな楽しみだった」

　さて，では文と文の「接続」に注意して，もう一度見てみましょう．まず And です．1節目では，イチゴ摘みの労働条件が述べられているのですが，
　　1文目：宿泊施設が乏しい
　　2文目：労働時間が長い
という内容です．夏の日の出から日没までだと，8時間どころではない，それを遥かに超える長時間労働になりますね．

　寝るところがない，1日中働かされる……この2つのことを結ぶのに，「そして」だけでよいでしょうか．「そして」で済ませてしまうと，とても苦しい内容にもかかわらず，表面的で淡々とした文章に見えてきます．ここで And に，「その上」「おまけに」，もっと言えば「それだけじゃなくて」のような意味合いを読み込むならば，筆者がこうして過酷な条件を並べて述べていることの「意味」が深みを持って伝わってくるのではないでしょうか．

　さらにここで，そうした理解の助けになるのが，「and が文の冒頭にある」ということです．通常「A and B」の形で使われる接続詞の位置が違っているのには，それなりの理由があることが多いのです．試しに辞典を引いてみると，「［文頭に置き，話を続けて］……それどころか，おまけに，ほんとに」(リーダーズ英和辞典)

という意味も出ています．これで，第1節の内容は，ぐっとはっきりしてきましたね．英和辞典が頼りになる例がここにもありました．

接続詞がなくても
さてそうすると，次の問題が生じてきます．第1節で，これだけ苛酷な労働条件について述べておきながら，第2節では「楽しい時をすごした」「大きな楽しみだった」ときています．これは矛盾しませんか？　そんな厳しい条件で働いているのに「楽しい」だなんて，奇妙だと感じないでしょうか．訳文Aを読んで，「あれ？」と思った人は文章をきちんと読んでいるのです．何とも感じなかった人は，文の表面を撫でただけですよ．

ここは内容の「筋」から判断して，日本語では「しかし」を入れないと不自然なところなのです．英語でもButがあっても全くおかしくないところなのですが，このような場合英語では，日本語よりも論理の展開がはっきりしているために，接続詞を省略するというか，入れる必要がないと感じられることが多いのです．しかし，それを日本語にするときは補って，表に出すほうが流れを明瞭にすることができます．

「they」と「we」
ところで，第1節と2節とでは，主語がtheyから

we に変わったのが気になった人はいるでしょうか？もしこの2つの代名詞が指す人物が違うのなら，第1節は辛い気分，第2節が良い気分で「しかし」なしにつながれていても矛盾はないでしょう．けれども，結論から言うと，we は they の一部なのです．まず they について一般的な使用法を考えてみましょう．

　英文ではほとんど常に主語を必要とします．日本語なら「愛しているよ」で誤解はないでしょうが，英語ではそうではありません．そのためでしょうか，they は特定の人たちを指す以外に，漠然と誰のことも指さず，強いていえば「人」を指す代名詞として使われる場合があります．

　例えば，小学校の近くの小さな文房具店で店番をしている高齢のおばあちゃん．おじいちゃんはすでに亡くなり，子供たちも独立して，今では彼女はひとり暮らしです．それでも英語で「あの店は安い」と言うときは，They sell cheap at that shop. と言います．普通は She sells とはなりません．(they は店の人たちを指すというのは，初心者向きの便宜的な説明にすぎません.)

　ここの they はこれと同じ用法で，この農場で働く老若男女すべてを大まかに指しています．一方 we はその一部である「若い男たち」であり，書き手はそのひとりということですね．

Step Ⅲ 筋を読む

必ず理由を説明する

さて，もう1箇所．勘のよい読者は気づいたかもしれません．先ほどの訳文Aは，第2節1文目 We used to have... と，2文目 There were always... の文がどういう関係にあるかを考えていないようですね．それぞれ独立しているかのようです．もう一度，「筋」に戻って最初から考えてみましょう．

　　第1節1文目　寝るところも満足にない
　　第1節2文目　その上，長時間労働
　　第2節1文目　しかし，すごく楽しい

……ときたら，「どうして？」と尋ねたくなるのが人情ではないでしょうか？　そう，第2節の2文目は，「すごく楽しい」理由を述べているのです．

一般に英語の論理では，相手に意外だと思われる発言をしたら，その理由を説明するのが，発言者の当然の義務です．

☞ 英語は発言の根拠を説明することにこだわる言語

だということは，覚えておいて損はありません．Thereの前にForやBecauseを補う書き手もおそらくいることでしょう．

こうした論理の流れを組み込むと，次のBのような訳をすることができます．

（B）「物置でも何でも，とにかく見つかった場所で寝

るしかなかった．その上，イチゴの季節はとっても短いので，誰も彼も日の出から日没まで働かなくてはならなかった．

でも，僕らはイチゴを摘んでいて最高に楽しかった．だってさ，畑にはいつだってたくさん女の子がいて，連中をからかうのがすごく面白かったんだもの」

このように，接続詞がある場合もない場合も，常に文章は前後の文章と何らかの意味的な「関係」を持っています．それを意識するかしないかによって，理解の深さが全く変わってくることは，実感できたのではないでしょうか．

「挿入文」の例

こうした「継ぎ目」は，文と文の間だけではなく，ひとつの文の中にももちろん存在します．例えば「挿入文」というのはわかりやすい例でしょう．江川泰一郎著『英文法解説』では「注釈的な文の挿入」と名付けられて好例がでています．

1) All the curious books that I have, they are indeed few, will be at your disposal.「私の持っている珍本は，ほんの少数ですが，全部あなたの自由にしてください」
2) His most dramatic stories—have you ever heard any of them—are about his trip up the Amazon.「彼のもっとも劇的な話は――そのひとつでも聞いたことあり

ますか——アマゾン川を遡った時の話です」

3) Human societies (there are some brilliant exceptions) have been generally opposed to freedom of thought.
「人間の社会は(すばらしい例外もいくつかあるが)大体において思想の自由に反対の立場を取ってきた」

それぞれコンマ, 棒線, 括弧でくくられている部分は, 作者がちょっと横道にそれて, 「本筋」とはかかわりのない, 当面は不必要な話をしている箇所ですね.

「本筋」と「脇筋」

上記の例のようなひと目でわかる「挿入」ではなくても, 「本筋から少しそれた補足説明」というのは英文ではよく出てきます. 例として小説の一節を読んでみましょう.

舞台は19世紀末のスペイン南部のセビリア, 結婚相手をめぐる対立がここでの話題です. 名門公爵の令嬢ピラール(Pilar)が, ある伯爵夫人の馬車の御者である美青年と身分違いの恋におちたともっぱらの噂です.

3-2▶ Of course no one knew exactly what happened, but apparently the more Pilar looked at the coachman the more she liked the look of him, and somehow or other, <u>for all this part of the story remained a mystery</u>, the pair met. In Spain the classes are strangely mingled and the butler may have in his veins much nobler blood than the master. Pilar learnt, not I think without satisfaction, that the coachman belonged to the ancient family of Leon.

(Somerset Maugham, "The Romantic Young Lady")

まず3行目半ば，and の手前までを訳してみます．

「2人の間に何があったのか，むろん，正確には誰にも分からなかったが，どうやらピラールは御者を見れば見るほどその姿が気に入ったようだった」

apparently＝「～のようだ，らしい」というのは，すでに見たとおりですね．

さて，and から始まる文章は，骨格だけをしめせば

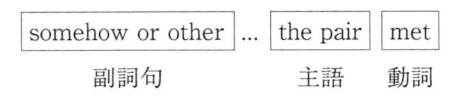

somehow or other	...	the pair	met
副詞句		主語	動詞

となり，本文中の下線部は挿入であるという形をまず確認しておきます．

しかしどうにも訳しにくい．直訳すれば，「そしてどうにかして，というのは話のこの部分は謎のままだったからだが，2人は出会った」となるのでしょうか？ こうして日本語に置き換えてみて「これで充分」という方もあるかもしれませんが，しっかり「筋」を追えば，もっとくっきりと意味がみえてきます．

接続詞 for の使い方

問題は，ここでの for の使われ方です．一般に接続詞 for は，「というのは〜だからだ」のように，前で述べたことの理由を述べるときに使いますね．

I know he is honest, for I have known him for long.
「私は彼が正直だと知っている．だってもう長いこと知っているのだから」
You have killed me too, for I will not live without my husband.「お前は私をも殺したと同然だ．夫なしで生きてゆく気など私にはないのだから」

などがそうです．しかし次のような場合は，少し違った用法として覚えておいた方がよいでしょう．

I got to know a young foreigner there. This American—for he was from Boston—was kind enough to help me to find a job.「そこで若い外国人と知り合った．このアメリカ人は——というのは彼はボストン出身だからだが——親切でぼくが仕事を探す手伝いをしてくれた」

棒線で挟まれた箇所は，最初はただ外国人と言っていたところを急にアメリカ人と言い換えたので，その言い換えの理由を述べていることが分かるでしょうか．

この例のように，ある言葉を使用した理由を補足して述べるときに接続詞 for を用いるという用法があるのです．多くの場合，聞き手，読み手が，「あれ？」と思う

ような言葉を使ったときに登場します．先ほども少し触れたように，英語の場合，相手に「まだ聞いていなかったぞ」「どうして，そんな」「さっきと矛盾する」「論理が合わない」と思われるようなことを言った場合は，話し手には「なぜそういうことを言うのか」について説明する責任があるのです．

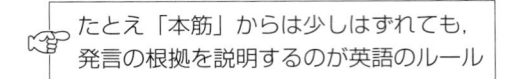

> ☞ たとえ「本筋」からは少しはずれても，
> 　発言の根拠を説明するのが英語のルール

なのです．この例文で言えば，作者が登場人物の頭越しに読者に直接説明している感じをイメージしていただけば，分かりやすいでしょうか？ この for の用法は辞典などにも説明が一応出てはいますが，実際の文章にあたらないと分かりにくいかもしれません．応用が効きますので，この機会にしっかり身につけることをお勧めします．

論理的に推測する

では改めて問題の箇所を読んでみましょう．つまりこの for から始まる 1 節は，somehow or other という表現を用いたことへの説明，弁明，理由を述べているのですね．だとすると逆に，somehow or other を「どうにかして」という英和辞典にある一般的な成句として訳すのは不適当ではないか，もっと曖昧な意味でなければい

けないのでは，と考えることが出来ます．例えば「何かしらのやり方で」と推測して訳してみます．

「そして2人は，何らかの手を用いて——話のこの部分は最後まで謎でしたからこう言うしかないのですよ——会った」

これで意味がつながりました．

こうして本筋とそれ以外の箇所をきちんと腑分けして読み解くこともひじょうに重要なことです．では残りを一気に訳しましょう．

「スペインでは階級が妙に混じり合っていて，召使頭が主人よりずっと高貴な血筋ということもあり得る．御者がレオン地方の名門の子孫だと知り，ピラールは満更でもなかったと思う」

not I think without satisfaction を間違いなく読み取れたでしょうか．I think が挿入句であるのは，よくある使い方ですね．

Most fish, I always think, taste better when they are grilled than when fried.「私はいつも思うのだが，たいていの魚はフライにするよりも焼いたほうがおいしい」

直前に not があっても同じことです．

この文の場合もIは話し手ですが，not without satisfaction は「本筋」，つまりピラールについての描写であるのを勘違いしないように．意味は，「満足でないこと

もなく」→「多少満足しながら」となります．普通には文の最後に来る語句ですが，learnt の目的語が長いので，ここに来ているわけです．

関係代名詞の２つの用法

「意味の継ぎ目」になるのは，文の切れ目や接続詞ばかりではありません．英語特有の表現である関係代名詞や分詞構文にも接続詞的な意味，つまり「継ぎ目」は潜んでいます．いくつか応用範囲の広い例文でコツを身につけておくことにしましょう．

The flowers, which she planted in the front yard, are growing well.

これを「彼女が前庭に植えた花はよく育っている」と訳していいでしょうか．

関係代名詞に「限定用法」と「挿入用法」(あるいは「継続用法」)と，２つの使い方があるという文法知識をお持ちの方は多いと思います．

She has two sons who became singers.「彼女には歌手になった息子が２人いる」(限定用法)

She has two sons, who became singers.「彼女には息子が２人いて，２人とも歌手になった」(挿入用法)

訳文で分かるでしょうが，上のようにコンマがなければ，彼女には他にも息子がいるのです．下のようにコンマがあれば，息子は２人しかいません．

先ほどの例文の場合も，単純にいえばwhichの前にもしコンマがなければ「限定用法」で，先ほど挙げた訳でよいということになります．「(他の場所に植えた花もあるが)前庭に植えた花はよく育っている」ということですね．しかしここはwhichの前にコンマがあることから挿入用法です．つまり「彼女の花はよく育っている」というのが「本筋」でして，それが前庭に植わっている，というのは補足的な情報に過ぎません．こういう英文はやや曖昧で，訳しづらいですね．英語を書く際にも，誤解を招くのでこういう書き方は避けよ，とされることが多いようです．

こんな時は，この文に相当する日本文も決してひとつではないと，まず気軽に考えるのがコツです．「彼女は，花を前庭に植えたのです．道を通る人も楽しめますね．建物の裏でないので，太陽がよく当たるせいか，よく育っています」というような内容を盛り込んだ文にすればいいわけです．例えば短く「彼女は，花を前庭に植えたのだが，それがよく育っている」でも，ちゃんと「継ぎ目」が通っています．

曖昧な関係詞に出会ったら

上のような例はまだ分かりやすいのですが，関係代名詞にはもっと曖昧で厄介な例ももちろんあります．順接なのか逆接なのかさえ，その文章だけ読んだのでは決め

られない場合もあるのです．こういう時に必ず考えるべきなのがコンテクスト，つまり前後の話の「筋」です．

A good friend of mine, who is 19 years old, got married with her boy friend last month.

19歳で結婚というのは，現在の慣例からすれば早すぎます．そう考えると，関係代名詞 who をもし接続詞を使って書き換えるなら though she is only 19 years old となるでしょう．しかし，もしこの友人の住んでいる地域の慣習が早婚であるのなら，because she is 19 years old と書き換えられますね．つまりこういう場合，

> 訳し方は前後のコンテクストからしか決まらない

のです．「友人はまだ19歳なのに先月ボーイフレンドと結婚した」だけでなく「友人はもう19歳になるので先月ボーイフレンドと結婚した」も論理的な文であり得るのです．

分詞構文の場合

関係代名詞と同じく分詞構文も，少なくとも日本人にとってはとても曖昧な表現です．文法の教科書には「時，理由，付帯状況，譲歩，条件などを意味する」とありますが，どういう場合にどの意味になるか，規則などありません．「分詞を含む部分」と「主語＋動詞の部分」とを自然に結びつけるにはどの意味が適切かを場合に応じ

て考えるしかないのです．これも意味はコンテクスト次第と言ってもよいでしょう．

Tired out with the work, he went straight to bed.

上の例文は，「仕事で疲れ切っていたので，すぐ床についた」とするのが，自然な流れですね．しかし，

Tired out with the work, he began writing a letter.

であったら，どうですか．「仕事で疲れ切っていたけれど，手紙を書き出した」と，譲歩の意味にとるのが理屈に合うことになります．譲歩を意味する分詞構文はadmitting または granting で始まることが多いというのももちろん必要な知識ですが，それ以外の動詞のこともあり得るので，やはりその都度コンテクストを検討して，規則通りなのか，例外なのか，考えなければなりません．

不要な代名詞とは？

さて少し話を変えて，今度は全体を貫く「流れ」を見失わずに追いかけるための重要な手がかり，代名詞について考えてみたいと思います．

英語では日本語よりも代名詞を多用するのは，誰しも感じていることでしょう．

He washed his face with his hands.

この文について「彼は彼の顔を彼の両手で洗った」と極端な「原文尊重の直訳」をする人はまさかいないでしょうけれど，英語としてはこれがごく自然なのですね．

代名詞の使い方には日英の間でこのように大きな差があるのです．

　もし私がどこかで翻訳教室を開くとしたら，その場合には，最初のレッスンは代名詞の「抜き方」にします．Step Vの先取りになりますが，参考までに，下記の英文と翻訳とを見てみてください．

Stroeve picked himself up. He noticed that his wife had remained perfectly still, and to be made ridiculous before her increased his humiliation. His spectacles had tumbled off in the struggle, and he could not immediately see them. She picked them up and silently handed them to him. He seemed suddenly to realize his unhappiness.　　(Somerset Maugham, *The Moon and Sixpence*)

「ストルーヴは起きあがった．<u>自分の</u>妻がじっと立ちつくしているのに気づいたが，<u>この彼女</u>の前で笑い物になるのは，屈辱感をますます大きくした．格闘中に眼鏡は転げ落ち，直ぐに<u>彼ら</u>を見ることはできなかった．<u>彼女</u>は眼鏡を拾い，黙って<u>それ</u>を<u>彼に</u>わたした．ここで<u>彼は</u>，突然，<u>自分の</u>不幸をはっきりとさとったらしい」
（『月と六ペンス』講談社文庫）

　この律儀に代名詞を訳出した文章から不要なものを取り去り，それでも意味が正確に伝わるように工夫する，というのがそのレッスンです．（ちなみに5行目最初の

themは「彼ら」ではなく「眼鏡」だと私は考えています.)どれくらいこなれた印象の訳が作れるか,皆さんもチャレンジしてみてください.

代名詞の重要性

「不要な代名詞を省く」ことからさらに1歩進んで,日本語には代名詞は必要ないと考える人もいます.英文学者でエッセイストの外山滋比古氏のエッセイを読むと,ほとんど代名詞はありません.ときに誰のことなのか曖昧なこともあると私は思いますが,氏は努力して,代名詞なしでも通じる文を書くようにしているようです.

しかし「日本語にするときには代名詞を省くほうがよい」と言うと,英文の代名詞を軽く考えて読み流す人が出てくるとしたら,とんでもない間違いです.翻訳で代名詞を無用に出しすぎないことと,英文を読む段階で代名詞を軽視することとは,全く次元の異なる話ですから,ごっちゃにするのは禁物です.

むしろ,英文の論理をたどる段階では,代名詞がどの語を受けているのかを丁寧に綿密に追いかけることは必須のことです.元の言葉が常に直前にあるとは限りませんし,複雑な英文では長い1文の中にいくつもheが出てきて,しかもそれぞれ違う人物を指している場合さえあります.また「it」のように,使い方によっては元の言葉がはっきりと特定しづらい代名詞もあります.

不特定の「it」

この不特定の it というのはむずかしいので,少し説明しておきましょう.あるイギリスの家庭を舞台にした小説の話ですが,夕食が済んで夫婦がくつろいでいるところに電報が届きます.戸口で電報を受け取った夫は,すぐに読み,真っ青になります.夫人は「What is it?」と問いかけます.驚いたことに,ある翻訳では,この一文を「それは何ですか?」と訳しています.そう聞かれたら夫は「電報だ」としか答えられません! これは誤訳です.正しくは「どうしたのですか?」「一体,何なの?」でしょう.

この it は「今問題になっていること」「心にあるもの」を漠然と指しています.一般に,人が何か目立った表情をしたら,嬉しそうであれ,悲しそうであれ,その原因を尋ねるのに,What is it? が使われます.この場合 it は,夫が真っ青になった原因を指すのです.

日本語に訳すときには消すからといって,それぞれの代名詞が何を,誰を指すのか,厳密に考えないでいると,文の論理を追えなくなります.

☞ 代名詞は論理の流れを追う鍵

です.ときにはパズルを解くように思考力を用いることで,ようやく英文の筋が見えてきます.

代名詞パズルに挑戦

こうした事情を，代名詞のひとつである they の場合で見てみましょう．

以下の文章は，イギリスの作家であり，科学行政官であり，「2つの文化」論で有名でもある C.P. スノウの講演です．引用箇所までの主旨は次のようなものです．

昔の人間の歴史においては，社会の変化は常にごくゆっくりでした．ひとりの人間の一生の間にそれと気づくような変化は，普通は起こりませんでした．しかし，現代ではがらりと事情が変わりました．変化の速度が著しく早まったので，人間の想像力が追いつけない程です．どんどん社会が変化し，それが多くの人たちに影響を与えるに違いありません．貧しい国では，人々はこの事実に目覚めました．自分の一生よりも長い期間，生活がいずれ良くなるなどと辛抱する気はもうないのです．

以上のような事情を概観した後，スノウは，次のように述べます．

3-3▶ 1) The comforting assurances, given *de haut en bas*, that maybe in a hundred or two hundred years things may be slightly better for them—they only madden. 2) Pronouncements such as one still hears from old Asia hands or old Africa hands—Why, it will take those people five hundred years to get up to our standards! —they are both suicidal and technologically illiterate. 3) Particularly when said, as they always seem to be said, by someone looking as though it wouldn't take Neanderthal Man five years to catch up with *him*.　　　(C. P. Snow, *The Two Cultures and the Scientific Revolution*)

【comforting「慰める, 元気づける」, assurances「励まし」, *de haut en bas*「見下すような態度で」, madden「狂わせる, 激怒させる」, pronouncements「宣言」, Asia/Africa hands 「アジア通, アフリカ通(の人々)」, suicidal「致命的な」, illiterate「無知な」】

　ご覧のように, この段落を構成する 1)～3) の 3 つの文章には, ひとつずつ they が出てきています. この they がそれぞれどの言葉を受けているのか, まさにパズルを解くつもりで考えてみてください.

　ヒントを出しておきましょう. 第 1 に, 上に示した語釈をしっかり参照してください. 第 2 に, 講演記録であるせいか, 挿入や省略の多い入り組んだ文章構造になっていることに注意. どうも意味がピンぼけ……という方はとくに要注意です. 第 3 に, 3 つとも, 指している言葉がこの文中にあります. 意味の流れと文章構造を丁寧に追いかけていけば, 必ず正解にたどり着けるはずです.

第 1 の鍵は「省略」

では 1)から順に解いていきます．まず，この箇所だけでは分からない「筋」を補足しておくと，問題の they の直前にある them は，この前の文章に出てくる「貧しい国の人々」を指しています．すると，訳してみるなら以下のようになるでしょうか．

「100 年か 200 年もすれば物事は君たちにとって少しはよくなるだろう，という威張った言い方で，慰め顔で保証されると――彼らは腹を立てるだけだ」

どうでしょう，気になる箇所はありますか？

この訳では「they＝彼ら」として，むろんそう言われた相手，つまり貧しい国の人々をイメージしているのですね．日本語の論理上，別にこの訳で差し支えないようにも見えます．

しかし文法的につきつめて考えていくと，不都合が生じてきます．ここで第 1 のヒントを活かして，もう一度語釈を見てみましょう．1)の文の最後の madden は，「腹を立てる」ではなく，「腹を立てさせる」という意味なのです．harden「堅くする」，soften「柔らかくする」などと同じ他動詞ですね．つまり，「誰かに腹を立てさせる」の「誰か」にあたる目的語が必ず必要な単語だということです．「誰か」とは？ 意味から考えて，もちろん「(そう言われた)貧しい国の人々」ですね．この場合，本来あるはずの目的語は前後関係から明らかなので

省略されているのです.

　こういう「言わなくてもわかる」場合の省略は決してめずらしいことではありません. 簡単な例から挙げれば,
　I never read in bed.
read の目的語が本や雑誌などであるのは自明なので, 省略されているのですね. 次に, 有名な文章ながら間違いやすい例を.

　No more stupid apology for pain has ever been devised than that it elevates.「苦痛は人間を向上させるというのは, これまで考えられた苦痛弁護論の中で, 最もバカバカしいものである」

　モームの『作家の手帳』にあるよく知られた文ですので, 見覚えがある人もいるでしょう. これも目的語省略の好例です. 最後の elevates は「〜を向上させる」という他動詞で, 目的語として「人間」が隠されています.

第 1 の解答

　さて元に戻って, 意味の流れから言って madden の目的語が「貧しい国の人々」でなければならないとすると, madden の主語である they もまた「貧しい国の人々」であるはずはありませんね. つまり, 先ほどの「they = 彼ら = 貧しい国の人々」は誤りだったということになります. 直前に them があるので同じものを指すと考えてしまいがちなのですが, 実は両者の指すものは

違っているのです.

　ここで改めて頭を整理するためにも, 第3のヒントを思い出して,「they」の元になり得る言葉を, 原文の複数形の名詞の中から探してみてください. そう, 文頭の assurances しかありませんね. これです. ここの they は「彼ら」でなく「それら」なのです.

　つまり they only madden は正しくは「こういう言葉は彼らを怒らせるばかりである」としなくてはなりません.「こういう言葉」の内容が, that 以下, them までですね. 今の場合は,「彼らは怒るのみ」としても, 全体の意味は大きく変わりませんが, これは偶然にすぎません. 改めて,「they＝assurances」として, 全体の構造を自分で確かめてみてください.

第2の解答

　さて, 2)に進みます. もう一度原文を引用しておきましょう.

2) Pronouncements such as one still hears from old Asia hands or old Africa hands—Why, it will take those people five hundred years to get up to our standards! — they are both suicidal and technologically illiterate.

　これを「アジア通, アフリカ通のイギリス人からいま

だによく聞く「なあに，ああいう連中がわれわれの水準に届くには 500 年はかかるさ！」という発言——彼らは自殺的であり同時に技術的に無知である」と訳してみるとすると，どうでしょうか．

「they＝彼ら」というと，アジア通，アフリカ通の人々を指すようですが，よく考えてみれば，そういう偉そうな人たちに，「自殺的」という形容詞は似合わないような気もしませんか．つまりこの they も，1) と同じく「人」ではなくて，「pronouncements＝発言」を指すのですね．「このような発言は，みずから墓穴を掘るものであると同時に，技術革新についての無知を露呈するものである」とでもすれば，文意がくっきりみえてきます．

第 3 の結末

ここまで読んできて，1) も 2) も，別にとくに注意して「they」の指すものを読み込まなくても文の大意は間違っていなかったじゃないかと思う人があるかもしれません．しかし代名詞の指すものをいい加減にしておくと，これに続く文の解読に際して論理が乱れます．

3) Particularly when said, as they always seem to be said, by someone looking as though it wouldn't take Neanderthal Man five years to catch up with *him*.

they =「彼ら」と思って読んできた人は, ここで理解につまずいたのではないでしょうか. この箇所は, 実はこういう意味になります.

「こういう発言をする人は, ネアンデルタール人でも5年もかからぬうちに追いつけそうな連中に決まっているものだから, とくに(そう思わざるを得ない)」

つまり, この they は「言われる」の主語なのですから, 「人」ではなく「言葉」です. 前の文に続いて, pronouncements を受けたものですね. この最後の文は, 威張った態度でしたり顔で発言する人に対するスノウの皮肉がはっきりと出ています. なお, ここで省略されている部分を, 念のために補って書き直してみますと, (They are both suicidal and technologically illiterate,) particularly when(they are)said, as they always seem … となります. 最後の him はイタリック体で強調されていますが, これは someone を受けています.

ここでも思い込みは危険

以上述べたことは, 要するに,

> ☞ they は「彼ら」だけでなく「それら」でもありうる

というだけのことです. しかし, Step II でもみたように, they といえば瞬間的に「彼ら」と訳すのが癖になっている人は少なくありません. 分けて検討した3つの

文章で, 最初の2つの場合は, they=「彼ら」でもおそらく大きく読み誤ることはないでしょうが, 3つ目では, それでは何のことか分からなくなる——代名詞を正確に追うことの大切さがよく分かる文ではないかと思います.

注意されなくても, they が it の複数形でもあるのは, 誰でも中学1年生の時から知っています. しかし頭で分かっているつもりでも, 現実に英文を前にするとその知識を活かせないことがとても多いのも事実なのです.

会話文の「流れ」

さて,「筋」を追っていくのが意外とむずかしいものに, 会話文があります.

会話が続く文章というのは, ちょっと考えると楽に読めそうな気がします. 私が大学院の学生だったとき, ヘンリー・ジェイムズの『ある婦人の肖像』という英語のむずかしい小説がテキストになったことがありました. 担当の上田勤先生が「ここは, ぎっしり活字が並んでいて大変だね」とか, 逆に「ここは会話が多くて, 空白があり, 早く読めるかもしれないな」とおっしゃっていたのを思い出します. 講読の当番がまわってきたときも, 会話が多い頁だと, 楽なので喜んだものでした. しかし, ニュアンスに富む会話は予想外に意味を取りにくく, 1頁読み進めても, 一体何についての会話なのかさえよく分からないこともあります. 逆に, べたっと隙間なく並

んだ文でも，説明が平明で楽に読めることもあります．

　日本語の会話文でも基本的な事情は同じですが，日本語では発言者の性別や年齢，地位により語尾や人称代名詞が違うので，大体発言者が誰なのか判断できますね．英語にはそれがないので，

> ☞ 英語の会話文では，発言者の特定がむずかしい

ということになります．そこで多くの場合，会話の前後に，she said や Tom remarked など，発言者が誰なのかを示す句が加えられるのです．日本語では不自然になってしまうので，翻訳では省略されてしまうことが多いですが，これがないと実際判断がつきかねることがあります．

誰のセリフ？

　私自身が最初は迷った例をひとつ，参考までに挙げておきましょう．病弱な妻を抱え，看病にも疲れてうんざりしている中年男性が主人公の話です．担当の医師から妻の転地療法を勧められたことが夫婦の間で話題になっています．妻は転地に出かける体力もないと泣き言を言うので，夫は説得しようとします．

'No, I can't face it. I'm too weak. I can't go alone.' Mrs Hutton pulled a handkerchief out of her black silk bag, and put it to her eyes.

'Nonsense, my dear, you must make the effort.'

'I had rather be left in peace to die here.' She was crying in earnest now.

'O Lord! Now do be reasonable. Listen now, please.' Mrs Hutton only sobbed more violently. '<u>Oh, what is one to do?</u>' He shrugged his shoulders and walked out of the room.　　　(Aldous Huxley, "The Gioconda Smile")

　やりとりは大体分かると思いますが、最後の下線部 "Oh, what is one to do?" が問題です。one が主語であり、is to do が「〜するべき」であるのは分かりますね。

　「わたし、一体どうしたらいいのかしら」（妻）

　「これじゃあ、どうしようもないぞ」（夫）

実際、文法的にも、意味の流れにおいても、どちらとも訳せてしまうのですね。ただ改行がないことに加えて、ここまでの箇所で夫は自分のことを one と言う癖があり、また妻は激しく泣いているとあるのでここでは物を言えないだろう——という事情、つまりコンテクストを考えた末、夫の発言だろうと見当をつけました。

「1語」を基点に筋を読む

　次の文章も、なかなか発言者の特定がむずかしい1文です。優しいけれども気の弱いインテリ青年ウォルター

Step Ⅲ　筋を読む

(Walter)が，少し年長の人妻マージョリー(Marjorie)と親しくなり，一緒に住みだして2年になります．青年の愛情は少しずつ醒めてきていて，彼の子を宿している彼女は寂しく思っているところです．青年は，今夜も彼女を置いてそそくさとパーティーに出かけようとしています．まずは全体を読んでみてください．

3-4▶ "You won't be late?" There was anxiety in Marjorie Carling's voice, there was something like entreaty.

"No, I won't be late," said Walter, unhappily and guiltily certain that he would be. Her voice annoyed him. It drawled a little, it was too refined—even in misery.

"<u>Not later than midnight.</u>" She might have reminded him of the time when he never went out in the evenings without her. She might have done so; but she wouldn't; it was against her principles; she didn't want to force his love in any way.

"Well, call it one. You know what these parties are." But as a matter of fact, she didn't know, for the good reason that, not being his wife, she wasn't invited to them.　　　　(Aldous Huxley, *Point Counter Point*)

【entreaty「懇願」，drawl「母音をのばしてゆっくり話す」，refined「優雅な」】

「late」をどう訳すか

 第1節から見ていきます．発言者が誰かはここでは問題なく分かるでしょう．ここでポイントになる単語は，実は，最初のセリフから3度続けて出てくる「late」です．中学生でも知っている単語ですが，最初の1文を，どちらの意味に取りましたか？

　　1)「大丈夫，遅れないかしら？」
　　2)「遅くはならないんでしょう？」

1)は「late＝(彼がパーティーに)遅れる」，2)は「late＝(彼の帰りが)遅くなる」とそれぞれ解釈しています．実際，この1文に限れば文法的にはどちらも可能です．単純なことのように見えますが，どちらを取るかで，この文章の「筋」は違ったものになってきます．試しに，それぞれの意味で第1節を訳しておきます．

　1)「「大丈夫，遅れないかしら？」マージョリー・カーリングの声は心配そうであり，懇願のようなものがあった．

　「いや，遅れないよ」と，実は間違いなく遅れそうなので，みじめな気持ちで，後ろめたそうに，ウォルターは答えた．彼女の声に苛立ちを覚えた．少し間延びしていて，悲惨な状況だというのに，澄ましすぎていた」

　2)「「遅くはならないんでしょう？」そう言うマージョリー・カーリングの声には不安感が込められていて，どこか懇願するようなところもあった．

「うん，遅くはならないよ」とウォルターは答えたが，遅くなるのが分かっているだけに，不快だったし，後ろめたくもあった．彼女の声にはいらいらした．すこし間延びしていて，こんなみじめな時なのに，澄ましこんでいる」

さて，いかがでしょうか．

発言者を推理する

さらに問題なのが，第2節の最初，下線部の "Not later than midnight." です．これは，ウォルターとマージョリー，どちらの発言でしょうか．前節のセリフから引き続いて，ウォルターが話しているようにも，会話の順序としてマージョリーが話しているようにも見えます．先ほどの「late」の解釈もからんで，一筋縄ではいかないところです．

ここで私の結論を申し上げるなら，第1節の訳は2)を取り，第2節のこのセリフはマージョリーの「12時よりは遅くならないでくださいね」という発言だと考えます．理由はいくつかありますが，例えば，2)の訳の方が，「懇願」という表現が生きてくること．もしウォルターの発言なら，改行せずに第1節の中に入っているのが普通と考えられること（もっとも，これは必ずそうというわけではありません）．さらにこの発言より後の部分を読むと，「マージョリーがウォルターの帰宅時間を

気にしている」という「筋」で読み解いたほうがより自然だと思えるからです．

時制も手がかりに

続きを読んでみます．助動詞や省略された文が続いて混乱する人もいるかもしれませんから，とくに「時制」を少し丁寧にみておきます．いうまでもなく，「時制」もまた「筋」を読むための重要な手がかりです．

まず might have reminded に，「might＋完了形」＝「したかもしれなかった」と型通りの訳をそのままあてはめたのでは「ピンぼけ」のままですね．might の現在形である may に，

「かもしれない」(推量)

「してもよい」(許可)

という2つの用法があったのを思い出しましょう．過去形の might にも同様に2つの用法，つまり「～したかもしれなかった」と「～してよかった(のに)」があり，コンテクストによってどちらの意味であるか決まるわけです．「might＋完了形」の場合，統計をとったわけではないのですが，「したってよかった(のに，そうしなかった)」という日本語に相当する場合が経験的に多いと思います．今の場合もそうで，「言ったってよかった(のにそうしなかった)」という意味になります．仮定法的用法なので，実際には「そうしなかったけど」の意味合

いが出てくるわけです．

続いて she wouldn't の次に省略されている英語は何でしょうか．直前の文章を受ければ，「She wouldn't have done so.(そんなことはしたくなかっただろう)」となるように思えますが，実はここは，後に続く it was と she didn't want に時制が一致していて，過去形が来ます．つまり，「She wouldn't do so.(そんなこと，したくないわ)」なのです．マージョリーの意識はここで過去から現在に移り，この場における彼女の今の考えを述べているのです．この would は文法的には「過去の強い意志」を表す用法です．

意味の流れから考えてそう解釈したほうが自然であることはそれぞれにじっくり考えていただくとして，文章の形からもそれが正しい解釈だといえます．文法的な面からいえば，do so でなく have done so の省略であれば she wouldn't have にならなければいけないからですね．

描出話法の魅力
それでは，後半の訳文を読んでみてください．

「「12時よりは遅くならないでくださいね」かつては，私と一緒でなければ，夜など決して外出しなかったじゃないですか，と言ってやったってよかった．本当にそう言ってもよかったところだ．でも，それは言いたくない．自分の信条に反するもの．あの人の愛を強要するのは，

どうしてもいやだわ．

「そうだね，1時くらいとしておこうか．だって，君もこういうパーティーがどういうものか，知っているだろうに」ところが，実際は，知らないのだ．それも無理からぬことで，彼の妻でないのだから，パーティーに招ばれることはないのである」

前半の解釈とどのように「筋」が通っているか，原文も含め，じっくり読み返してみましょう．

ちなみにここでは，最後のほうの it was against her principles 以下を「描出話法」として，彼女の心理的な内面が出ているように訳しましたが，これは必ずそうしなければいけないものではなく，客観的な作者の描写として訳すことも可能です．しかし生き生きした訳文になりますので，描出話法に取れるときは，私はたいていそのように訳しています．

補足をもうひと言．妻でないから招待されない，ということから，これはおそらく第2次世界大戦より以前の「古きよき時代」の話だと見当がつきます．現代なら社交界も，良くも悪くも寛容になっていますから．

「部分」を読むむずかしさ

こうして「筋」を見てくると，

> 英文を「部分」だけで理解するのはむずかしい

Step Ⅲ 筋を読む

と分かっていただけるかと思います．皆さんは学生時代に，こんな経験をしたことがありませんか．教科書以外の英語の本を読んでいて分からない箇所にぶつかり，英語の先生に質問したときのことです．教科書の英文についてならすぐに明快な答えをしてくださる先生なのに，「少し待ちなさい」と，質問している箇所の前後を読んでいてなかなか答えてくれない──「何だ，意外に実力ないのかな」と不審に思った人もいるのではないでしょうか．

私も学生から，「先生でもすぐには分からないのですか」と言われたことが何回かあります．でも，これは良心的な英語教師なら，誰でも取る態度です．簡単そうに見える単語でも，前後の「筋」を見ないことには訳せない場合も多々ある，ということですね．

逆に言えば，入学試験などで，適切な「英文和訳」の問題を作るのも大変なのです．私は隔月で雑誌の「英文和訳教室」を担当していますが，一番大変なのがその課題文選びです．版権の関係で語数は200語以内と決まっており，内容豊かで，適度にむずかしく……そして何よりむずかしいのが「前後がなくてもそこだけで分かる」文章であるということです．数冊の本を探してようやく見つけることも稀ではありません．もちろんときには「これは年頃の娘と寡婦の母が……」のような注記を加えますが，それだけでは不足な場合もあります．読者か

らの解答をチェックすると，英語がよく出来る人でも私とは違った「筋」で解釈しているのです．やはり前後を読んでいないと，正しく理解できない文章だったことに改めて気づかされることも少なくありません．

デイ＝ルイスの自伝から

それでは「筋」をたどる章の最後に，次の文章を読んでみましょう．イギリスの文人として1930年代に活躍したセシル・デイ＝ルイスという作家がいます．彼の晩年の自伝に，10歳の時，ウィルキーという小学校で，ある級友に突然殴られた経験が語られています．眼の縁に黒い痣ができるほどの一撃でしたが，彼は何の仕返しもしませんでした．弱気だったというのではないのですが，相手の少年の目に浮かんでいた怒りと憎しみを見て，手も足も出なくなってしまったのです．そんな激しい憎悪を見たのは初めての経験でした．次はそれに続く1節です．

3-5▶ There was almost no bullying at Wilkie's, and the black-eye episode remained an isolated one; <u>yet for a long time I was haunted by the shaming cowardice I had shown in not hitting back</u>, and neither my relative intrepidity at games and gym nor my stoicism under pain could compensate for that failure of nerve.

Step III 筋を読む 111

(Cecil Day-Lewis, *The Buried Day*)

【bullying「いじめ」, shaming「不名誉になるような」, intrepidity「大胆さ」】

　「ウィルキー校には弱い者いじめはあまりなくて，眼に黒い痣ができたあの事件のようなことは，前にも後にも他に例がなかった．<u>しかし，殴り返さなかったことで示した不名誉な意気地なさが長い間僕の頭から離れなかった</u>．競技や体育で皆より大胆に行動したり，苦痛に耐える克己心を発揮したりしたのだが，あの時殴り返さなかった事の埋め合わせにはならなかった」

　英語と対照しつつ見てゆくと，この解釈で大体の意味は取れているように思われます．しかしよく考えてみるならば，「その事件以外にいじめはおこらなかった」と「臆病だという劣等感につきまとわれた」という2つの文の間に，どうして「しかし」が入るのでしょうか？軽い「しかし」と取って「いじめは(その後は)なかった，しかし(いじめられなかったにもかかわらず)僕は劣等感につきまとわれた」と理解することも不可能ではないでしょう．ですが，「人を殴るようないじめはほとんどなかったのだ．が，しかし……」と続くとき，ごく普通に考えれば，「現実には他の形のいじめならあった」と論理が続き得るのではないでしょうか．

前後を読んでゆくと

この違和感は，引用した部分からだけではなかなか解決出来ないものです．著者は引用箇所の前で，先ほども少し触れたように，殴り返さなかった理由は自分の弱気でなく，相手の顔に見た激しい憎悪にショックを受けて手も足も出なかったことだと述べています．

I had received one blow, without retaliating, immobilised by the sudden anger and hatred in my assailant's eyes.

【retaliating「応酬すること」，assailant「攻撃者」】

つまり本人の意識では，殴り返さなかった理由は臆病ではなく，相手の憎悪の表情への驚きだった，と語られているのですね．そうだとすると，自分は臆病者だという気持ちが「頭から離れない」というのは，理屈が合いません．むしろ，そういう内面の葛藤がわからない周囲の子供たちのほうが，彼を臆病者だと思ったのではないでしょうか．

さらに，ここの正しい解釈を困難にしている要因は haunt という動詞かもしれません．この動詞は，普通，「Tom was haunted by memories of the war.(戦争の思い出にいつまでもつきまとわれた)」というように使います．多くの英和辞典では，これに類した自分の内面的

な苦悩と関連した例を挙げています。しかし英英辞典などを丁寧に調べてみると，それとは違う定義として，「cause problems for someone over a long period of time」(LDCE)というのがあり，こんな用法が出ています．

An error would come back to haunt them for years to come.「その誤りのせいで何年も迷惑を受けた」

The leaders remain haunted by the forces of dissent they ordered the army to crush.「指導者たちは，軍隊に粉砕せよと命じた反対勢力によって，悩まされ続けている」

つまり本人の意識とは関係なく，周囲のせいで何か迷惑をかけられるという意味なのです．今の場合もこの例と同じ用法ではないでしょうか．

作者の控えめ表現

そうだとすると，納得がゆきます．つまり，周囲の少年たちが，殴打事件で著者が臆病だったというので，在学中著者のことを「弱虫！」と陰で罵ったり，「あいつは臆病な奴だぞ」と噂し続けた，ということです．

つまり下線部は，次のように読めます．

「とはいえ，殴り返さなかったので，皆はぼくを恥ずかしい臆病者だと決めつけて，長いこと，白い眼で見た」

執筆者はこの小学校について，表面上は，いじめはあまりなかったけれど，僕個人についていえば，結構不当

に差別を受けた,と言いたいのです.執筆者はのちに詩人になったくらいですから感受性は鋭敏だったでしょうし,もちろん10歳の子供の時でも内的な葛藤,苦しみを抱えていたことは充分あり得ますが,ここで言いたかったのは,周囲から白眼視され,弱虫という不当な扱いを受けたのが一番嫌だったことなのだと考えるべきですね.ただし「あの学校にいじめがないというのは嘘だ,現に僕はひどい目にあったのだ」と露骨に述べるのは好まないので,原文は控え目な表現になっています.その控え目さが,また正確な理解をむずかしくしてもいます.

　　むずかしいからこそ,チャレンジ！

　正直な話,最初の訳に満足せず,正解に達するのは楽ではありません.どうしてこのように考えたか,私の発想をおさらいしてみましょうか.最初はyetです.どうしてここに「しかし」が入ってくるのか,とこだわるところから,普通の論理の展開では納得できない事情——筆者の隠れた心理など,表面に見えないもの——がありそうだ,と勘ぐるのがまず第1です.その感じを頼りに,臆病かどうかについて,筆者自身と周囲との理解に大きな差異があるのを引用箇所の前の文から確認します.

　その次には,hauntに「周囲のせいで迷惑を与えられる」という意味合いの用法があるのを,英英辞典で突き止めるわけです.しかし通常は英和辞典で充分ですから,

納得出来ないという気持ちがよほど強烈でなければ英英辞典にまで手が伸びないでしょうね．

　さらに正直に打ち明けるなら，この例文のような短い箇所だけでは，正確に読むのがむずかしい場合も多々あります．デイ＝ルイスの自伝の全体を通読し，その人柄を知ることによって，初めて「部分」も分かるのです．筆者が控え目な表現を好むとか，他人からの不当な扱いを我慢しないとか，内面の真実を尊ぶとか，自伝全体の通読から得られる知識があってこそ，短い引用も正確に読めるのですね．

　このことを逆の面から言うならば，Step Ⅰ で練習していただいた「英文をまとまりとして読む」ことの大切さもお分かりいただけるでしょう．全体をつかみ，筋をたどっていくこと．細部の意味をゆるがせにせず，単語ひとつひとつをきちんと読み解いていくこと．どちらが欠けても「日本語のようにすらすら読む」という理想にはたどりつけないのです．

　意味を取るだけでも大変なのに，隠れた「筆者の心理」や「言外のニュアンス」なんて読み取れるのか……と不安，弱気になった方もあるでしょうが，心配要りません．慣れることで，無理が無理でなくなります，大丈夫，保証します．次の章ではその「きっかけ」「ヒント」をいくつか学んでみましょう．

Step IV

行間を読む
―「言外」のニュアンス―

「行間を読む」ということ

　国語のテストではよく,「この部分に込められた作者の意図はどういうものか」といった問題に出会います. つまり「作者の言わんとすること」, もっといえばその部分の「行間」を読み取れ, という問題ですね.

　本章ではこれにならって,「英文の行間を読む」ことにチャレンジしてみたいと思います. ここでは「行間」ということを広く理解して, 明確に表現されていない書き手の気持ちや, 文章が全体として伝えている言外のメッセージ, あるいは読んだ人に何となく伝わる文章の「雰囲気」や「ニュアンス」まで含めて, その読み取り方を考えていきたいと思います.

　日本語でも英語でも, 文章にはたいていの場合,「言葉通り以上」の意味が含まれているものです. ひとつ極端な例を挙げましょう.『ガリヴァー旅行記』の著者であるジョナサン・スウィフトの著作に『控え目な提案』というエッセイがあります. そこではなんと, アイルランド貧民の赤ん坊を調理してイングランド人の食卓にのせれば, 美味しく食べられるし, それによって両親は多少の金銭が稼げる, という説が開陳されているのです. これはもちろんスウィフトが本当にそう考えていたということではなくて, 当時のイギリス政府が行なっていたアイルランドにたいする過酷な政策に抗議するための文

章なのですが，それを知らずにうっかり真面目に読んだ人は仰天するでしょう．この場合は内容が激しすぎますので，まさか「文字通り」に読む人はいないでしょうが，程度の差はあれ，書いてあることと「言わんとすること」は必ずしもイコールではない場合が多々あるわけです．

　あるいはそこまで極端ではなくても明確に書かれていない文章の雰囲気や書き手の意図を読み取るというのは，例えば文学作品を精読するような場合に限らず，日常的に誰にとっても必要なことなのです．もしもあなたがアメリカからの留学生と恋に落ちて，その後恋人は自国に帰ってしまい，メールでしかやり取りが出来ないとすれば，その文面から必死で相手の「本当の想い」を読み取ろうとするのではないでしょうか？

英文の「こころ」を読む

　しかし一般的に，私たちが英語を読む場合，「文字通りの意味」を取るのに夢中になって，文章の調子にまで気がまわらない場合が多いのは偽らぬ事実です．いや，単に気がまわらないのではなく，外国語を読むことと日本語を読むことは全く別物と考えている人がほとんどなのです．例えば大学の英語の講読の授業で，正確に意味をとらえて例文を訳した学生に，「この部分，著者は本気で言っているのかな，あるいは皮肉でこう書いている

のかな」というような質問をしてみると、多くの場合困惑した顔で、「そこまで考えていないから分からない」と答えます。中には、そんなことを質問されたのは初めて、と不服そうな表情を露骨に見せる者もいます。そういう学生には、ぜひ、

> 英文にも書き手あり

ということを、胸に刻んでほしいと思います。当たり前のことですが書き手がいる以上、書いたときの状況や気分が文章には盛り込まれているはずなのです。

「語調」を痛切に感じた経験

白状しますが、今は英文の「こころ」を読み込むことを声を大にして勧めている私も、かつては「意味が分かればそれでよし」としていた時期がありました。高校時代から受験期を経て大学に入った頃は、むずかしい文を読む場合、文法的なことや単語や熟語の意味と、とにかく意味を取るのに精一杯で、その文を書いた人がどういう気持ちであったかということなど考えたこともありませんでした。大学の3、4年生になっても、訳読の授業で先生から「この人物はどういう気持ちなのかね」と質問された時には無理難題をふっかけられたようで、最初は今の学生と同じように不満でした。次第に執筆者や登場人物の「気持ち」に注意を払うよう気をつけ始めたも

のの，慣れないうちは，外国人の気持ちとか心理なんて理解できない，大体の意味が分かるだけでいい，それ以上なんて無理だと密かに感じることもよくありました．

しかし大学を出てまもなく，思いもかけない経験から，「英文にも語調というものがある」と痛切に学ぶことになりました．アメリカに留学してきた友人に教わって，アメリカのブック・クラブに入会して，洋書を通信販売で格安で買うことにしたのです．クレジット・カードなど存在しない昔のことで，代金は郵便局から振込みで支払いました．ところが，まだ届いていないという旨の手紙がクラブから来ました．丁寧なもので，入れ違いに払ったのでしたら，無視してください，などと書いてあります．それで安心したので，返事などせず放って置きました．ところが，しばらくすると，今度は，やや改まった感じで，早く支払うように依頼してきました．それでも，私は何の心配もしませんでした．督促状は，一定の期間を置いて届きました．読むと，僅かずつ，厳しい文章になっているようであるのが，うすうす感じられました．

手紙の執筆者——クラブの会計係です——の態度が丁寧なものから厳しいものへと変化している．怒っているようだ．1通のみのことであれば，わたしもその「語調」にとくに目を向けることはなかったかもしれません．しかし，階段を1段ずつのぼるように少しずつ手紙の雰

囲気が変わっていったため，その英文の背後にある書き手の心理に否応なしに注目し始めることになりました．

そんなことがしばらく続き，6通目くらいだったでしょうか，突然改まった口調で，「このような悪質な会員はクラブでは手に負えない．顧問弁護士に委ねるので，そう心得よ」とでも訳せる内容になっていました．さすがに驚き，慌てていると，すぐに弁護士事務所から通知があり「この事件は私どもで扱う．貴殿があくまで支払いを拒否するなら司法手続きをとる」と恐ろしいことが記されていました．

それ以後，私からの弁明書，身分証明，郵便局長による支払い証明などを書留で送り，ようやく解決した経緯は省きますが，これら多数の手紙で，文体が変わり，執筆者の姿勢が冷静から激怒，脅しに変化するのを，つぶさに観察することになりました．

皆さんも，インターネットが手軽に使えるようになった今では，海外通販をする機会が増えていると思います．私の場合は段々相手が怒りをつのらせていくのを感じ取れたのでまだよかったのですが，たとえ間違いであったにせよ，いきなり「脅し」のメールが届いて，にもかかわらずその「雰囲気」が理解できずに気軽に放置してしまったとしたら……．恐ろしいことですね．

「深読み」のすすめ

さて、「行間を読む」といっても、実際のところ、どうすればいいのでしょうか.

いったん日本語に戻って考えてみましょうか. 例えば先ほど挙げたような「ここで作者がほんとうに言いたかったことは何か」という国語の問題を解くとき、皆さんはどうしますか？

実は、この本でずっとやってきたことこそ、その基本なのです. まず大まかに全体のテーマをつかむ(Step Ⅰ). 細部の意味を丁寧に読み解く(Step Ⅱ). 同時に、前後のつながりを追いながら「筋」の展開をきちんとたどる(Step Ⅲ)――こうして、ひとつひとつの単語をゆるがせにせず、丁寧に前後の流れ＝コンテクストの中にそれぞれの文を位置づけながら読んでいくことこそが、「行間を読む」ことの基本だといっていいでしょう. 当たり前のことですが、

> 「書かれていないこと」を読み取るには、
> 「書かれていること」を手がかりとするしかない

のですから.

文章自体の難易度にかかわらず、コンテクストの中に位置づけて理解しない限りは、本当に「読めた」とは言えないのです. とくに外国語を読む場合、もともと書き手との間に色々な意味で距離がありますから、相当意識

して行間を読み込もうとしない限り，字面をさっと撫でただけになると言っても過言ではありません．日本語を読む場合よりも「深く読む」努力が必要だと言えるでしょう．

そう，言い方を換えれば，本章では，

☞ いい意味での「深読み」をめざす

のが目標です．「あまり深読みするな」などと否定的な意味で使われることも多い言葉ですが，英文の読み方の訓練としては「深読み」は有効なのです．書き手はなぜここでこの単語を使ったのか？ この表現はどういう状況のもとで出てきた言葉なのか？ なぜこんなテンポで話を展開しているのか？——など，英文の中の気になる表現をきっかけに，とにかく1度「なぜ？」と考えてみましょう．いくつか長めの文章を読み解きながら，どういうところを私が「深読み」していくか，注目してみてください．

ムッソリーニの良心

さて，ではここからいくつか「深読み」を実践してみましょう．

今ではヒトラーとくらべてはるかに知名度は落ちるのでしょうが，イタリアのムッソリーニといえば，かつてはヒトラーと並び称せられるよく知られた政治家でした．

この著名なファシストが，意外にも多数の生物を絶滅から救ったというエピソードを読んでみます．もちろん実話でして，1930年代の末のある時，天候異変のためにエサとなる昆虫が絶滅し，このため餓死の危機に瀕したのがツバメでした．このツバメをウィーンからヴェニスに飛行機で運び，助けたというのです．

4-1▶ What is a particularly agreeable part of the story, Signor Mussolini, for all his fierce reputation, issued an edict that, in the country of St. Francis, the lives of the swallows were to be respected, and that the fugitives must not be shot or captured in order to be made the ingredients of 'swallow pie'.

Who, on reading such a story, could doubt the fundamental excellence of human nature? It was a little cruel, perhaps, to the insects of Italy to loose on them a horde of birds of prey whom Nature in her entomophilia was about to extirpate. (Robert Lynd, "Swallows")

【edict「命令」, fugitives「避難民」, ingredients「材料」, horde「群れ」, entomophilia「昆虫びいき」, extirpate「絶滅させる」】

以下この章では，「深読み」の実践から生まれる，「行間」を活かした訳文を，英文の直後に出していくことにします．「どうしてこんな訳になるのだろうか？」と思うところを中心に，しっかり自分でも辞書や事典を調べ，

考えてみてください.

「この話でとりわけ結構だと思われるエピソードは,あのムッソリーニ氏が,悪い評判ばかり聞こえてくる人物であるにもかかわらず,聖フランチェスコの生国たるこのイタリアではツバメの命は尊重されるべきであり,避難してきた鳥たちを「ツバメ・パイ」を作る材料にするために撃ち落としたり捕まえたりしてはならぬ,という禁令を出したことである.

このような話を読むと,人間というのは根本において善なるものであるのを誰しも疑い得ないと思われてくる.とはいっても,イタリアの昆虫にとっては,せっかく自然の女神が味方して絶滅に追いやろうとしてくれていた天敵の大群を放たれるなんて,もしかすると,少し残酷だったかもしれないが」

まず誤りやすいのは,最初の長い文の構造でしょう.最初に what があるからと言って,疑問文とは限りません. 1)最後に疑問符がない, 2) story の後がカンマで切れて,接続詞も関係代名詞もない, といったことを手がかりに, what...story は, Signor Mussolini 以下の文から独立した一種の慣用句と考えます.

Tom is a bright boy. What is more, he is hardworking.「トムは頭のよい子です.その上,勤勉です」

このような例文を見たことのある人も多いでしょう.この what is more と文法的には同じですね. agreeable は

agree の派生語ですが「賛成すべき」ではありません．「好感が持てるような」という意味の形容詞ですから「結構な」「快適な」などと訳せる単語です．

「聖フランチェスコ」の1語から

ここでひとつ目につくのが，in the country of St. Francis を「聖フランチェスコの生国たるこのイタリアでは」と訳してあることでしょう．「イタリアでは」というのはもちろん，ここの文脈を読み取って，私が加えた言葉です．

かつて英文解釈の問題としてこの例文を出題したとき，この1節を「セント・フランシス郡では」と訳した人がいました．ムッソリーニが登場するからイタリアの話だ，というところまで理解出来たので，逆にこの country は「国」ではない，と考えてしまったのかもしれません．この固有名詞は，地名でしょうか，人名でしょうか．日本の英和辞典は，百科事典も兼ねていますから，Francis または Francis of Assisi で調べてみましょう．そう，これは「アッシジのフランチェスコ」と呼ばれるイタリアの聖人の名前ですね．

さあ，ここで「深読み」です．大事なのは，in Italy としないで，わざわざ in the country of St. Francis という表現が用いられているのに注目することです．それには何か理由があるだろうと，勘を働かせましょう．英

和辞典では上記以上の情報は得られないかもしれませんが，この聖人とツバメとの関係について，調べる気になれば，さまざまな辞典の他，インターネットも大きな助けになります．気になるところは放置しないこと．

　すぐ分かることですが，聖フランチェスコはイタリアのアッシジで生まれ，フランチェスコ修道会を創立した聖人で，自然を愛し，とくに小鳥を可愛がったことで有名なのですね．それで，「ツバメ救済」というこの話のテーマにあわせて，「ここは聖フランチェスコの国なのだから……」ということで聖人を登場させた，というのが深読みの第1段階です．

　もう1歩「深く」
　ここでとどまらずにさらに深読みを進めるならば，この話の主人公である猛々しいファシストのムッソリーニを，温和な聖人その人と並べる面白みも読み取れます．「あのムッソリーニが，なんとまあ，まるで聖人みたいなことをするとはね」という，からかいの調子がイギリス風のユーモアなのでしょう．この調子がつかめれば，文章全体をそのトーンのもとに読んでいくことが出来ます．第2段落の訳には何となくその調子を活かしてあるので，もう一度確認してみてください．

　swallow pie というのは，引用符がついていますし，どうやら架空の料理のようです．birds of prey は「猛

禽」だと辞典には書いてありますね．しかし，普通はワシ，鷹，フクロウなどの大型の鳥を指すもので，ツバメはその範疇に入りません．同じ単語を繰り返すのを嫌う英語の癖で，swallow の代わりに用いたのと同時に，小さな昆虫からみればツバメは大きな鳥に見えるという事情を表現するものでもありましょう．ですから日本語にするときには，「猛禽」のように括弧付きにしてもよいですが，「捕食性の鳥」「天敵の鳥」「昆虫を餌食とする鳥」などの別の訳語を使ったほうがいいと思います．

　このように，ひとつの表現を「深読み」するところから，文章の雰囲気が分かってくることもあります．さらに言えば，今回のように，

> ☞ 深読みのためには，言葉の背後にある常識が要求されることもある

のです．例えばひとコマ漫画で，肉付きのよい女性がケーキの皿を前にして，思案顔で "To eat this cake or not: that is the question." と言っているとします．これが笑いを誘うとすれば，シェイクスピアの『ハムレット』にある "To be or not to be: that is the question."「生か死か，それが問題だ」を知っていればこそですね．ハムレットの場合は文字通り，生死に関わる深刻な問題であるのに，今は単にケーキひとつのこと，美容の問題に使われている落差が面白いわけですが，そもそもこの

皮肉な筆づかい

「笑い」と同様に,「皮肉」においても,「言外の意味」がとても重要です. 次の文章では,「皮肉たっぷり」な様子が単語の選び方に表現されていますので, 注目してみましょう.

最近日本でも流行してきた, 学生による授業評価が主題です. 評価される教員の側からの文章として, 内容的にも興味深いと思います.

4-2▶ Today is evaluation day in my Freud class, and everything has changed. The class meets twice a week, late in the afternoon, and the clientele, about fifty undergraduates, tends to drag in and slump, looking disconsolate and a little lost, waiting for a jump start. To get the discussion moving, they usually require a joke, an anecdote, an off-the-wall question. But today, as soon as I flourish the forms, a buzz rises in the room.

(Mark Edmundson, "On the Uses of a Liberal Education")

「今日は私の担当するフロイト心理学のクラスの評価の日であり, そのため万事いつもと違う. このクラスは週2回, 午後遅い時間にやっている.「お客さん」は, およそ50名の学部学生だが, いつもだらだらと教室に

Step IV　行間を読む

入ってきて，だらしなく椅子に坐る．しょんぼりして，少し途方に暮れたような様子で，エンジンをかけてもらうのを待っている．授業を円滑に運ぶためには，講義の前に，こちらは冗談を言ったり，面白い逸話を話したり，奇抜な質問を浴びせたりしなければならない．ところが今日はがらっと変わって，アンケート用紙を掲げてみせると，たちまち教室にざわめきが起きたのだ」

単語のニュアンスに注目

気になる単語を拾っていきましょう．まず面白いのは，clientele という単語です．これは集合的に「顧客」「患者」を指す語ですが，学生のことを言うのに，この語を用いたのはどうしてか．ひとつには1行目に登場する「フロイト」との連想で精神分析をうける人たちのイメージを重ねているのかもしれませんが，主には学生というのは月謝を払って教育を買う客だと考えている大学経営者への皮肉が込められているとみるのがよいでしょう．そういう経営戦略に乗っかって，こちらはお金を払っているのだから別に真剣に学ばなくとも単位さえもらえれば満足だ，といった雰囲気の学生への不満もあるはずです．そうした不満は次の drag in「のろのろ歩く」，slump「だらしなく坐る」という動詞の選び方にも表れています．いずれも，だらしない態度を表現しますから．他にも，disconsolate「打ちひしがれた」とか，a little lost「ちょっと途方に暮れた」という形容詞も,これから授業に臨もうとする学生の本来の態度からほど遠いものです.

jump start は,元来は車関係の用語で,バッテリーの上がってしまった車に他の車のバッテリーをつないでエンジンをかけることです.そこから口語で「速やかにスタートさせるもの」を言うのにも使います.教員にエンジンをかけてもらうまでぼんやりしているというのです.a joke 以下は jump start の具体例ですね.off-the-wall は口語で「とっぴな,即席の」です.学生を人間扱いせずに車にたとえることで,その自発性のなさに呆れ返った,突き放したような感じが強まっています.

「5段階評価」の日

こういったことを受けて,上の訳文では,およそ大学の授業とはかかわりないような単語をあえて使っている筆者の皮肉な気持ちをやや強調してあります.この雰囲気をおさえて,先に行きます.

4-3▶ Today they write their assessments of the course, their assessments of me, and they are without a doubt wide-awake. "What is your evaluation of the instructor?" asks question number eight, entreating them to circle a number between five(excellent)and

Step Ⅳ　行間を読む

one (poor, poor). Whatever interpretive subtlety they've acquired during the term is now out the window. Edmundson: one to five, stand and shoot.

And they do. As I retreat through the door—I never stay around for this phase of the ritual—I look over my shoulder and see them toiling away like the devil's auditors. They're pitched into high writing gear.

「今日は授業の評価を，そして私の評価を，学生が書く日なのだ．今日ばかりはぱっちりと目を覚ましているのは確かである．「担当教員についてどう評価しますか？」と問８は尋ね，１(ひじょうに劣る)から５(ひじょうに優秀)までの５段階の数字に〇をつけてくださいと記してある．こうなると，この学期中に微妙な解釈の仕方をせっかく学んだのに，すべてお払い箱になる．エドマンドソンを１から５で評価せよ．さあ，狙いを定めて撃て，というわけだ．

学生は言われたとおりそうする．戸口から出て行くとき──こんな儀式に付き合うのはまっぴらなので，私はいつも立ち去ることにしている──肩越しに見ると，奴らは鬼検事よろしくせっせと記入している．この日ばかりは，ギアをトップに入れて書いているではないか」

想像するに，質問は「授業は役に立ちましたか」とか

「内容はむずかしかったですか」などの授業内容に関するものから，担当教員——Edmundson 先生——に関する「分かりやすく講義しますか」「はっきりした声で講義しますか」「講義の準備は充分してありますか」などの細かい問いが続き，最後に，総合評価があるのでしょう．日本でもこうした学生から教師への評価を取り入れる大学が増えています．そのアンケート用紙を前にして，普段と全く違う様子を示す学生たちに呆れる気持ちが，without a doubt という，without doubt「疑いなく」より更に強い表現で強調されています．

表現の「連携プレー」

皆さん気づかれたかどうか，この文章で実は一番皮肉がきいているのは，Whatever interpretive subtlety they've acquired during the term の部分なのです．「学期の間にどのような解釈の微妙さを身につけたにせよ」と直訳することは出来ても，もう1歩「深読み」せねばなりません．

「interpretive subtlety」という表現がどこから出てくるのか？ それには，このクラスはフロイト心理学を学ぶクラスであったのを思い出す必要があります．人間の心の奥にあるものを探究する心理学ですから，心の複雑さを学んだはずです．他人の言葉を解釈する場合には，表面だけでは分からない，と教わっているはずです．と

ころがその教えを嘲笑うかのように,アンケートは1から5までのどれかに○をつけるように要求しています.out the window は out of the window と同じで「すっかり無くなる」という意味ですね.嬉々として○をつける学生も教わったことをすっかり忘れてけしからぬし,こんな単純な答を要求するアンケートも許せない.こういう筆者の気持ちを見落としてはいけません.

あの表現も,この表現も

このあと筆者は,すっかり呆れ返った気分をさまざまに表現しています.stand and shoot はモンゴメリー元帥の演説で有名な stand and fight「踏みとどまって戦え」という言い方を受けたもので,「立ち上がって撃て」と訳せるでしょう.they do の do は stand and shoot です.retreat は「退却する」ですが,筆者の皮肉をくみとって,「降参する」でなく「ご免をこうむる」といった感じです.

this phase of the ritual は「儀式のこの場面」で,このアンケートによる評価を,筆者が ritual と呼んでいるのは,「形式だけのもの」だという気持ちからでしょう.

like the devil's auditors は,辞典で devil を調べると,like the devil だけで「ものすごい勢いで」であることが分かります.auditor は「検査官」ですから,「悪魔に雇われた,厳しい検査官」ということになりますね.こ

こは成句の意味と,「鬼検事」という意味と,両方が重ね合わせて使われています. pitched into high writing gear は「猛烈に書くという状態にのめりこまされて」が直訳です.

こういうさまざまな表現が次々に繰り出されて,

> 言葉の連携プレーで全体の「気分」を表現

している,というわけです.

この文の筆者たるマーク・エドマンドソン氏はヴァージニア大学で心理学を教えている人ですが,『ハーパース・マガジン』という雑誌の客員編集委員もつとめていて,この文章も同誌にでた「教養教育の効用」というエッセイから取ったものです. 根っからの大学人ではないので,授業評価についてもこのように距離を置いて,本来の学問や教育とは何かという観点から批判的に論じているのでしょう.

それが単なる批判としてではなく皮肉をたっぷりきかせて書かれているのは,授業評価にも近頃の学生にも相当嫌気がさしているのに教えることをやめずにいる自分に対して,多少自嘲の思いがあるから,と考えるのは私の深読みのしすぎでしょうね.

本音と建て前

筆者の気持ちや全体の調子というのは,もちろん,こ

れまでの例のように，文章全体で一貫した分かりやすいものばかりではありません．以下のエッセイは「退屈な人」について書かれたものですが，筆者はそういう人に批判的であったり寛容であったりと調子がかわり，本音と建て前が見え隠れしています．

　退屈な人のことを英語では bore といいます．退屈な話をいつまでもしている人を嫌うのは，どこの国でも同じですが，英米では日本よりも嫌う度合いが強いようです．日本は退屈な人に対して寛容ですね．

　最近はあまり流行らなくなりましたが，お見合いという慣習がありますね．お見合いの後，当人だけで数回お付き合いをしてから，どうも娘さんが乗り気でない．相手の青年を真面目そうでよいと思った母親が娘に尋ねると，「あの人，退屈だわ」と答えたとすると，日本人の母親は，きっと怒るでしょうね．退屈なのは大きな欠点ではない，と言って青年を弁護するのではないでしょうか．英米の母親なら，納得するのではないかと思います．

許せる，許せない？
　退屈な人の中でもとくに厄介なのは，自分の話は他の人にも面白いはずだと信じて得意になっている人です．さてどう対処すべきか，という話から論が展開します．

4-4▶ On the whole, it is better not to disturb the

amiable delusions of our fellow-men, unless we are certain that we can improve them. To break the spring of happiness in a virtuous bore is a serious responsibility. It is better, perhaps, both in matters of work and in matters of social life, to encourage our friends to believe in themselves. We must not, of course, encourage them in vicious and hurtful enjoyment, and there are, of course, bores whose tediousness is not harmless, but a positively noxious and injurious quality.

(A. C. Benson, "The Pleasures of Work")

「周囲の人間たちが無邪気に自己満足に陥っているような時には，その邪魔をしないほうがよい場合が多い．彼らをましな人間にしてやれるという確信でもない限り，邪魔をしないほうがいいのだ．何しろ退屈だけど誠実でもある人が喜びの源泉にしているものを破壊することは，重大な責任を伴う行為である．仕事に関しても，社交生活に関しても，人びとに自信を持つように励ましてやるほうが，もしかすると，よいのかもしれない．とはいえ，けしからぬ，他人に迷惑になるような楽しみに耽るように励ましたりしてはいけないのはもちろんである．何しろ世の中には，その退屈さが無邪気だなどというのではなく，積極的に害をなす，迷惑千万な連中が，もちろん存在するのだ」

批判の始まり

　冒頭から7行目 themselves までは，寛容な筆致ですね．ところが，of course が2回立て続けに出てくるところから，退屈人間への批判が急に濃くなります．それをふまえて，まず前半部分をおさらいしておきましょう．
　amiable delusions とは具体的に何でしょうか．delusion は「勘違い，錯覚」といったような意味ですから，自分の魅力，面白い話を語る才能などへの過信ととればよいでしょう．それがどうして amiable と言えるのか．「感じのよい」というのですから，他人が大目に見てあげられるような，無邪気に悦にいっているような「幻想，思い込み」をいうのでしょう．ちなみに improve them の them は delusions ではなく，fellow-men です．
　次の virtuous bore もむずかしいですね．virtuous「高潔な」は褒め言葉であるのに，bore はさげすみの言葉ですから，この2語は普通は結びつきません．しかし世の中には，とても真面目で立派だけど，話が退屈な人は存在しますね．「退屈だが誠実な人」とすればよく分かるだろうと思います．

「繰り返し」に表れる本音

　と，このように見てくると，一見寛容に見えた文章の中にも，厳しい批判の言葉が埋め込まれているのが分か

るでしょう．それをまるで抑制するかのように好意的な意味の単語と組み合わせて使っていますが，その不自然さが逆に強い印象を残します．

その後に続くboresがいかにけしからぬ存在かという主張は，ここまでの「建て前」を脱ぎ捨てたかのように，いかにも激しいものです．それは，同一語の反復は避けよ，という英文の作法に敢えて違反してof courseを2度使い，さらにboresという表現を繰り返しているのからもうかがえます．

その目で見るとさらに，「励ましてやるほうがよいのかもしれない」というところはIt is better, perhapsとなっていたことにも気づきます．弱いperhapsであって，強いprobablyではない．つまり筆者のbore嫌いは，いくら抑えてもつい顔を出していて，退屈な人たちが自信を持つように励ますのがいいというのも，まあ，そうかもしれないけどね，としぶしぶ認めているだけなのです．

本音の爆発

こうしてみてくると，色々な単語に「本音」がにじみ出ていることが分かってきます．筆者の退屈人間への憤懣は続きます．

4-5▶ There are bores who have but to lay a finger

upon a subject of universal or special interest, to make one feel that under no circumstances will one ever be able to allow one's thoughts to dwell on the subject again; and such a person should be, as far as possible, isolated from human intercourse, like a sufferer from a contagious malady.

　「例えばこうだ．万人向きの話題であれ，特殊な話題であれ，いったんその人間が口に出したりしたら最後，その後は，誰だってその事柄を口にするのはおろか，考えるのさえ絶対にお断り，というような退屈人間がいるのだ．こういう手合いは伝染病患者の場合と同じく，社交の場からは出来るだけ隔離しておくに限る」

どんどん激しくなってきました．
　have but to の but は only と同じで，have only to「～しさえすればよい」の用法です．この場合は「すればよい」をそのまま訳語とするよりは，
　You have but to wait for a few minutes to get your drink.「数分待ちさえすれば，飲み物をもらえます」
と同じ感じで訳すとよいでしょう．lay a finger upon a subject は，ここでは「ある問題にちょっと触れる」，「ある話題に軽く触れる」ということです．どんな話題であれ，その退屈人間に触れられようものなら，汚された気がするので，他人はもう触れるのを断念するしかな

い，というのです．dwell on はその逆の「じっくり考える」という意味ですね．

　one が「一般の人」である用法は，もう知っていると思います．under no circumstances 以下が強調のために前に出て，倒置が起こっています．

one will ever be able under no circumstances to allow...

と書き直してみれば，分かりやすいでしょう．「どんなことがあったって絶対にあり得ない」という感じです．like a sufferer from a contagious malady という喩えに至っては，ちょっとこちらが驚くほどの激しさです．

バランス感覚発揮？

　こうしていかにも「憤懣やるかたなし」といった感じで筆者の本音が鮮明に出たのですが，さて，次ではどうなるでしょうか．結論の部分です．

4-6▶ But this extremity of noxiousness is rare. And it may be said that, as a rule, one does more to increase happiness by a due amount of recognition and praise, even when one is recognizing rather the spirit of a performance than the actual result.

　「だが，これほどまで極端にひどい例はまれである．だから，他人のことはある程度認めてやったり褒めてや

ったりするほうが，人類全体の幸福に資することになると，一般的には言えるであろう．たとえ実際に挙げた成果ではなく，その意気込みを認めてやるしかない場合でも，だ」

　前節とは変わって，ここでは個人的な退屈人間嫌いを抑えて，そういう人間の存在を認めるのも結構だという寛容な姿勢を取っています．筆者はさっきまでの非難が，それこそ極端だと反省したのでしょうか．イギリス人特有のバランス感覚を発揮する気になったのでしょう．
　ただし，これは微妙なことですが，執筆者は bore 嫌いを敢えて隠してバランスを取っているかのような印象を私は受けます．実際の成果はともかく，まあ，意気込みだけは認めてもいい，という生半可な認め方などに，無理して建て前を述べているような，不自然さを多少感知するのです．皆さんはいかがでしょうか．

文章の「陰影」を感じる
　さていくつか例文を読んできて，「深読み」の実践に少しはなじんでいただけたのではないかと思います．
　私たちはどんなときでも自分の言いたいことをストレートに言葉に出来るとは限りません．言いにくいことや，自分でも自信がないこと，少し誤魔化しておきたいことなど，伝えたい気持ちはあるけれど明言はできない場合，

遠回しにほのめかす言い方をすることがあるでしょう．それはもちろん日本語でも英語でも同じです．そういった文章の「陰影」が感じられるようになれば，ぐっと人間味を持ったものとして英文を読めるようになります．

「留保」に込めた思い

この次に挙げるのも，そうした筆者の「心の揺れ」を含んだ文章です．親と子の対立は，どこの国でもどの時代にも存在するはずなのですが，それが充分に意識されて文章になるのは，英語圏では19世紀からのようです．とくに，父と息子の関係をテーマとする自伝的作品が，19世紀と20世紀の境目の時期に何点も書かれています．そのひとつ，作家エドモンド・ゴスの自伝の冒頭を取り上げてみます．

4-7▶ This book is the record of a struggle between two temperaments, two consciences and almost two epochs. It ended, as was inevitable, in disruption. Of the two human beings here described, one was born to fly backward, the other could not help being carried forward. There came a time when neither spoke the same language as the other, or encompassed the same hopes, or was fortified by the same desires. But, at least, it is some consolation to the survivor, that neither, to the very last hour, ceased to respect the other, or to regard

him with a sad indulgence.
　　　　　　　　（Edmund Gosse, *Father and Son*）

「本書は2つの気質，2つの良心の争いの記録である．敢えて言えば，2つの時代の間の争いとも言えよう．争いは決裂に終わった．これは避けられぬことであった．何しろ，本書に登場する2人のうち，一方は生まれつき保守的であり，他方は将来に向かわざるを得ない人間であったのだから．やがて，2人が同じ考え方をせず，同じ希望を抱かず，共通の願いに胸を熱くすることもない，というような時期がやってきた．けれども，どちらも最後の最後に至るまで，他方を尊敬するのを止めなかったのは——そこまでは言えぬにしても，残念に思いつつも寛容に見守りつづけてくれたのは，後に残された者にとって，いくらかの慰めである」

　筆者の「心の揺れ」，少し言いよどむような「留保」が読み取れたかどうか，繰り返し読んでみてください．

「断定」を避ける表現
　最初の文では，「2つの気質，2つの良心の間の争い」ということは，問題なく理解できますね．父と息子は生まれつき気質が違っていたのに加えて，どちらも良心的な人だったけれど，良心を感じる姿勢や対象などが違っていたのでしょう．ところが次の two epochs には

almost が付されています．これがなければもちろん「2つの時代間（の争い）」というわけですが，どうして筆者は almost を挿入したのでしょうか．

そもそも almost という副詞は，100% の断定を避けるときに用います．It is almost 3 o'clock. なら，2 時 58, 9 分でしょう．つまり，父と自分が「2 つの時代」だとは断定できない，という思いが筆者にはあるのですね．父と息子である自分との，気質と良心のありようの違いから争いが生じたのは確実だが，それを世間でよく言うように，世代間の争いだと断定することが果たして出来るかどうか．よく人は時代の子だというが，父も自分も，それぞれが生きた時代の代表といえるのか？　このような疑問を抱くので，挿入したのだと考えられます．

微妙な思いの訳し方

こういう書き手の気分や姿勢を表すような語は，訳すときにひじょうに苦労するものでもあります．そこに込められた気持ちの方向性は分かっても，その場面に応じた訳し方をしないと，結局何のことか分からないという結果になってしまいがちだからです．

例えばこの文を直訳して「本書は 2 つの気質，2 つの良心，ほとんど 2 つの時代の争いの記録である」と翻訳した場合，今検討したような筆者の微妙な心遣いが伝わるでしょうか？　懸命に何度も読んでどういう意味だろ

うかと考えてみても，日本語からはどうにもイメージがわきませんね．

ではどう訳せば伝わるでしょうか．「2つの気質，2つの良心の争いの記録であり，また2つの時代間の争いの記録だと言って言えなくもない」とすれば，何とか伝わるでしょうか．原文より言葉が増えていますが，英語と日本語のように隔たりのある言語の場合はやむを得ません．そう考えて，少なくともここでは，込められた思いをきちんとつかむことを優先しましょう．

「筋」から訳語を補う

その次の文は問題なく，「避けがたいことであったが，この争いは破局に終わった」と訳せます．「破局」は「崩壊」「分裂」「別離」でもいいでしょう．

of 以下は，両者の差異を具体的に説明しているところです．なぜ，和解が不可能であったか，読者に分かってもらおうという意図での説明です．fly backward とは「後ろに向かって飛んでゆく」，being carried forward とは「前に向かって運ばれる」ということですが，人間の気質の描写としては「保守的」と「進歩的」とすれば分かりやすいと思います．正反対なので，別離しかないと主張しているわけですね．その「筋」をくんで，日本語の訳としては，「こういうわけなので」とか「何しろ……ですから」という言葉を補うといいでしょう．

There came a time when は「やがて……のような時がやって来た」ということです．do not speak the same language というのは,「同じ言葉を話さない」というより,「同じ考え方をしない」という意味に用いることがあります．encompass the same hopes は, encompass が「包含する」という意味なので,「いくつかの希望を抱く中に, 父子で共通の希望もある」ということですが,「同じ希望を抱く」で結構です．最後の fortified by the same desires というのは何でしょうか．同じ願望, 例えば, 共通の努力目標に向かって邁進することによって気分が高揚する, というようなことでしょう．fortified は「強められる」ですから,「意欲がわく」,「やる気が出る」としてもいいでしょう．

「or」を読み込む

さて, 筆者の心の揺れがはっきり表れているのは, 次の箇所です．もう一度引用しておきます．

But, at least, it is some consolation to the survivor, that neither, to the very last hour, ceased to respect the other, or to regard him with a sad indulgence.

But 以下は, 大ざっぱにまとめれば, 親子関係が決裂して和解することもないままではあったけれども, 父が没した時まで尊敬の気持ちはやまなかったのが慰めだ, ということですね．it is some consolation to the survivor, that は「次のことは，生き残った息子（＝私）にとって，いくらかの慰めである」という意味です．

問題は，respect と並んで regard him with a sad indulgence とあることです．字面を追ってそのまま直訳すれば「悲しい寛容で相手を見る」となります．これが「尊敬する」と or で結ばれているところに何か含みがありそうではありませんか．文字通りには，「どちらも respect あるいは regard を止めなかった」となりますが，実際はどうだったのでしょう？

誠実さの表れ

今日，父親を尊敬しない子供は多数いるでしょう．しかしこの自伝に書かれているのは今から 100 年も昔の話ですから，家庭における父の権威はまだ保たれていた時代でした．ですから，息子である筆者が，たとえ考え方が食い違い不和になることがあっても，なお父を尊敬し続けたというのは納得できます．ところが父が息子を，自分に背いた生意気な息子を最後まで「尊敬」したかどうかというのは極めて疑問です．尊敬でなく，「困った奴だ」と思うのが普通でしょう．

ここから，ひょっとすると「尊敬する」のは息子から父に向けられた態度を表現するものであって，or to regard 以下は逆に父の息子への態度を表現するものではないか，と考えることができます．そういえば indulgence は「甘やかす」「大目にみる」ということですから，目上から目下への態度としてふさわしいように思えます．sad は「(父の説得に応じない点で)困った，嘆かわしい」というのでしょう．

　筆者は，「自分と父の関係において救いになるのは，最後に至るまで，どちらも尊敬心を忘れなかったことだ」と書いたのですが，そこまで断定しては真実に背くと反省したのではないでしょうか．つまり，自分が父への尊敬心を失わなかったのは確実だが，父についてはそうとは言えない．でも，最後に至るまで腹も立てずに，自分を寛容な目で見てくれたのは確かだと思ったのです．父との関係を冷静に，真実に背くことなく記して，正確な記録を残そうという誠実な筆者の心が，最初の almost と共にこの or 以下にも表されているのに気づくと，上の文章全体がほぼ完全に読めたことになりましょう．

読みどころの探し方
　どうでしょう，少し感じがつかめてきたでしょうか．なるほど，こうして「深読み」できることは分かったけれど，読みどころがどこなのか，はどうやって見極めればいいのか？と思った方もあるかもしれません．それは一概には言えないのでむずかしいのですが，ひとつのヒントとして，「言い方」に注目するということがありま

す.

　言葉は不思議なもので,事実としては同じことを言うのでも,その「言い方」はひじょうにたくさんありますね.なぜここではわざわざこんな言い方をしているのか？と読み手が気になるような場合,そこに書き手は自分の思いを託しているのではないか？と考えてみることは,決して無駄ではないでしょう.

　「言い方」ということに関連して,「文体」という言葉を思い浮かべる方も多いかと思います.「典雅な文体で書かれている」と言ったり,「あの人には文体がある」と言ったり,日常的に割合よく使う言葉ですが,いざ真面目に定義しようとするとむずかしい言葉でもあります.専門的には「文体論」という学問の分野がちゃんとあって,立派な研究もたくさんあります.しかし,ここではそのような知識は必要ありません.とりあえず,

> 同じ意味内容を語るにも,「語り方」次第で,読み手が受け取る印象や,感じる「雰囲気」,また文章全体の「言外のメッセージ」が変わってくる

ことを意識しておけば充分かと思います.

　「そう言われても,外国語なんだから,「言い方」の違いなんか分からない……」とおっしゃる読者のために,ここでいくつか文章の雰囲気の違いを体感していただくことにします.あまりむずかしく考えずに,「色々な言

い方がある」ということを，素直に感じてください．

慈善の呼び掛けから

試しに，「広告」として掲載された3つの文章からそれぞれ一部を抜きだしてみます．何らかの団体が不特定多数の人に向けて発表した文章だという点ではどれも同じですが，その性格によって文章の感じが違っています．

まずは，『タイム』誌に掲載された，WFPの広告から．

Providing children with a good education is a priority for all of Asia. Yet millions of children are still being denied a proper education, because their parents are too poor to send them to school.

For the last 40 years, WFP has been providing nutritious meals to millions of children at school, giving even the poorest parents a good reason to send them there.

WFPはThe United Nation World Food Programmeの略語で「国連世界食糧計画」と訳されています．ご存じの人もいるでしょう．世界の貧しい子供に教育と食糧を同時に与える計画でして，この実現のため，大規模な募金活動をしています．この文章は趣旨に賛同する世の心ある人々に募金を促すものです．

文体を検討します．冒頭のProvidingが動名詞であるのは，どういう印象を与えるでしょうか．私には，大上

段に構えるというか，自信をもって人を説くという感じが読み取れます．この文を It is a priority for all of Asia to provide children with a good education. と不定詞を使って書き換えてみましょう．意味は同じですが，大人しい印象になりませんか．更に priority と all という単語を使っていることも，主張の正当性を強調する効果を生んでいます．

2行目では，are still being denied と進行形が使われています．are still denied という単なる現在形とくらべると，動作の進行，継続が強調され，しかも，子供たちが苦況におかれていることに対する非難の感情的な色彩まで加味されているようです．例として，

Tom is always finding fault with me. 「トムはいつも僕のあら探しばかりしているな」

という文章をあげれば，感じが分かっていただけるのではないでしょうか．

第3文はこれまでの WFP の実績を客観的に伝えるものですが，even the poorest と，それだけで「even」の意味を含んだ形容詞の最上級が用いられているにもかかわらず，わざわざ even を加えてそれを表現していることに，主観的，感情的な勢いを感じます．

さらに続きは，次のようになっています．

It reduces child hunger and boosts school attendance at the same time.

This year, we expect to feed 5 million schoolchildren in Asia. Support us, and help build the real wealth of Asia.

boost は「押しあげる」という意味です．この計画は子供の飢えを減らし，就学率を上げる，この両方を同時に達成する秘策であると，説いています．人を納得させる説得力がありますね．思わず賛成と頷くでしょう．今年援助する予定の多数の子供のために，是非義捐金を出してほしい，という訴えが最後にきていますが，人にお金を出させる時にありがちな，へりくだった姿勢は皆無です．

おとぎの国への誘い
この文体の特徴は，次の文と比較するとさらに明確になります．

Discover two of the world's most fabulous destinations. Now you can fly with Singapore Airlines to Milan, the fashion capital of the world, and Barcelona, the city made from dreams. Step into Barcelona's enchanting wonderland of art and architecture or Milan's world-renowned fashion culture. Whichever destination you choose, you'll enjoy KrisWorld, your personal inflight entertainment system, and of course, the inflight service even other airlines talk about.

一読して航空会社のPRの文章だと分かるでしょう．destination「目的地」，inflight「飛行中の」といった単語が目につきます．シンガポール航空がミラノとバルセローナに直行便を開通したことから，両都市の魅力を簡潔に伝え，客を誘おうというのです．
　文体が全体として実直というより派手であるのは，色々な点から感知できます．fabulous, fashion, dream, enchanting, wonderland という語は，地面に足のついた旅というより，空想や夢の魅惑的な世界を想起させる単語です．2つの目的地について，そこで日々の生活を営んでいる人など存在せず，まるでおとぎの国であるかのような錯覚を与えます．航空運賃がお得だとか，椅子席がゆったりしているとか，食事が美味しいとか，そのような実質的な細部には一切触れず，「機内個人用エンタテイメント・システム」を宣伝しています．最後の「他の航空会社でも噂しているような機内サービス」という表現は，人の浮ついた好みにアピールするためのものです．こんな素敵な目的地への旅には是非当社の航空機をご利用くださいと，低姿勢でお願いしているようです．
　どちらの広告も共に，1人でも多くの人にお金を使うように促すという意図を持った文章ですが，文体は随分違いますね．Aが人間の慈善心や義務感に訴えるのに対して，Bは遊び心や好奇心に訴えるのですから，文体も変わってきます．では次の場合はどうでしょうか．

事務的なお知らせ

We are sure you will love your RHS products. If for any reason you wish to return something, we will happily exchange it or refund your money.
・Re-package the item together with this form.
・Goods returned for refund or exchange be received by the RHS in resaleable condition, unless supplied faulty or damaged.
・Goods must be returned within 21 days.
・We are only able to refund postage where goods are faulty or the wrong item was sent.

RHSというのはイギリスの「Royal Horticultural Society 英国王立園芸協会」という，エリザベス女王を総裁とする伝統ある園芸普及のための協会です．そこで通信販売しているカレンダーなどの商品に付された，商品に不満などがあって，refund「払い戻し」を要求したい場合の申し込み方法を指示する文書の一部です．事務的なものですから，味気ない文体であるのは当然ですね．

まずwe will happily exchange it or refund your moneyと述べて，果たすべき責任は取ると保証しています．しかし，問題点はしっかりおさえて，購入に際して充分な検討もせずに注文し，気まぐれに返却してくるのにまで責任を持たないことも匂わせています．それが

箇条書きの部分です．

　ここが書き方のむずかしいところで，返金や交換にあまりに厳しい条件がついていると分かると，最初の「喜んで交換に応じます」というのが看板に偽りありとも取れ，注文者の反感を買う可能性があります．訴訟社会の英米なら訴えられる可能性すらあります．その点も考えてとても慎重に書かれているのが分かりますね．それでWFPのように高所から説くのでなく，またシンガポール航空のように媚びるわけでもない，いわば中間的な文体になっています．

目的が変われば文体も変わる

　3つの文章を通じて，同じように「不特定多数へのお知らせ」でありながら，それぞれ文体が異なることを見てきました．目的によって文体が変わる事情も理解できたと思います．

　ただし，私の感じ方と違う受け止め方をした人がいるかもしれません．正直な話，私にとっても文体の見分け方はむずかしいのです．文体の見分け方を明確に言葉にして説くというのはさらに困難です．でも原文を何度も読み返し，書き手の立場も推量しているうちに，大体の感じが伝わってくるように思います．

> ☞ つねに言い方を意識して読む

かどうかで、きっとそのアンテナは鋭くなってくるはずですから、当たり前のようですが、あきらめずに考え続けることが大切です。

マリリン・モンローの言葉

参考までに「文体見本帳」として、以下いくつかタイプの全く違う文章を挙げておきます。とにかく英文にも色々あるということを感じてもらえればよいので、実際に声に出して読んでみるなどして、文章の雰囲気の違いをよく味わってみてください。ちょっと英文が続きますが、ざっと眺めるだけでも気分はつかんでもらえるでしょう。

まずはマリリン・モンローの文章から。モンローといえば、以前は性的魅力が売りの、およそ知性的とは言いがたい女優だと見られていたのですが、多くの批評家の努力により評価が変わってきました。今では知的な、人格的魅力を持つ人として認知されています。彼女の『生い立ちの記』から一部を引用します。前半は悲惨な子供時代、後半は女優になってからの話です。

As I grew older I knew I was different from other children because there were no kisses or promises in my life. I often felt lonely and wanted to die. I would try to cheer myself up with dreams. I never dreamed of anyone loving me as I saw other children loved. That was too big a stretch for my imagination. I compromised by dreaming of my attracting someone's attention (besides God), of having people look at me and say my name.

...

Hollywood parties not only confuse me, but they often disillusion me. The disillusion comes when I meet a movie star I've been admiring since childhood. I always thought that movie stars were exciting and talented people full of special personality. Meeting one of them at a party I discover usually that he (or she) is colorless and even frightened. I've often stood silent at a party for hours listening to my movie idols turn into dull and little people. (Marilyn Monroe, *My Story*)

　高い教育を受けた訳ではありませんから，平易な日常の言葉を用いて気取らずに淡々と語るように書かれています．しかし内容はしっかりした魅力的な文章で，つい読み進めてしまいますね．後の文の有名俳優への皮肉はかなり強烈ですね．

手強い学術論文
　次は本格的な学術的著作です．有名なアダム・スミスの『国富論』の冒頭から引用してみます．

INTRODUCTION AND PLAN OF THE WORK

THE annual labour of every nation is the fund which originally supplies it with all the necessaries and conveniences of life which it annually consumes, and which consist always either in the immediate produce of that labour, or in what is purchased with that produce from other nations.

According therefore as this produce, or what is purchased with it, bears a greater or smaller proportion to the number of those who are to consume it, the nation will be better or worse supplied with all the necessaries and conveniences for which it has occasion.

(Adam Smith, *The Wealth of Nations*)

少し古い英語ですし,学術的なものを読み慣れていない方は,この長い「1文」についていくのがちょっと大変かもしれませんね.関係詞を多用して語の定義を重ねている書き方も,なかなか一読してスラスラ分かるとはいかないかもしれません.しかし,論文のどの部分においても,読者を誤解させてはならないという配慮が感じられ,学者としての誠実さがにじみ出ています.それだけにいい加減な読者を寄せつけない印象があるのは当然でしょう.

リンカーンの演説

 最後に演説の例を．アメリカの政治家の演説については，教科書にもよく引用されますし，何らかの形で原文を目にしたことのある方は多いと思います．ケネディ大統領の就任演説も有名ですし，黒人解放運動のリーダーだったキング牧師の「I have a dream...」という演説もほとんどの方がご存じでしょう．

 ここでは第16代アメリカ大統領エイブラハム・リンカーンのゲティスバーグでのスピーチから．有名な結びの部分です．

It is rather for us to be here dedicated to the great task remaining before us—that from these honored dead we take increased devotion to that cause for which they gave the last full measure of devotion—that we here highly resolve that these dead shall not have died in vain—that this nation, under God, shall have a new birth of freedom—and that government of the people, by the people, for the people, shall not perish from the earth.

 ぜひこれは声に出して読んでみてください．前の2例とは，受ける印象が全く違うことと思います．

 以上の3例はやや一般的でない特殊な例ではありますが，こうして並べてみると，「英文」とひとくくりにすることが少し乱暴にさえ見えてくるのではないでしょう

か．その感覚の延長上に，英語の「文体」を感じとる力は生まれてくるのです．

難題に挑戦

さて，本章の最後に，Step Ⅰ からここまで学んできたことを総動員して考える一文に挑戦してみましょう．出来れば次章 Step Ⅴ の「翻訳」の予習もかねて，全体の調子も見極めたうえで，丁寧に訳文を作ってみてください．

アラン・ブルームによるベストセラー，『アメリカ精神の終焉』という本があります．次の文は，現代アメリカの小説家ソール・ベローがこの本に寄せた序文の一部です．

4-8▶ American readers sometimes object to a kind of foreignness in my books. I mention Old World writers, I have highbrow airs, and appear to put on the dog. I readily concede that here and there I am probably hard to read, and I am likely to become harder to read as the illiteracy of the public increases.

(Saul Bellow, "Preface" to *The Closing of the American Mind*)

まずここで，大ざっぱな直訳を挙げておきます．この訳のどこが正確ではないのか，どう改善すればいいのか，

Step Ⅳ　行間を読む　　　163

少し考えてみてください．

　「私の著作の一種の外国風に対して，アメリカの読者は時々反対する．というのは，私が旧世界の作家たちのことをよく取り上げ，ハイブラウな雰囲気を見せ，いかにも気取って見えるからだ．あちらこちらで私の本が多分読みにくいというのは進んで認める．さらに一般読者の文盲が増すにつれて，一層読みにくさが増しそうである」

　基本理解をおさえる
　まず1文目，「foreignness」という単語が目につきます．「foreigner（外国人）」なら誰でも知っているでしょうが，「外国風」とは？

　ここで，Step Ⅲで述べた，読者が「あれっ」と思うような表現を使った場合にはその説明が後に必ずある，という英語の原則を思い出しましょう．つまり，I mention 以下は「外国風」の内容を，具体的に事例を挙げて説明しているのですね．上記の訳ではここのつながりを「理由」ととらえていますが，後から述べるように，筆者ベローは「読者」と意見が一致しているわけではなく，ここではとりあえず同調してみせているだけですから，「確かに私には……というところもある」という感じで訳しておいた方がしっくり来ます．

　そこで2文目ですが，Old World は New World「新

世界(=アメリカ)」に対する「旧世界(=ヨーロッパ)」で，ここでは次の「作家」を修飾しています．ベローが旧世界の作家をよく取り上げることが，自国であるアメリカ作家を無視しているものと読者から非難されている，というのですね．

highbrow はもう日本語になっていますからよいとして，次の airs はどうですか．

He went out with an air of disappointment.「彼は失望した様子で出て行った」

この air と大体同じです．put on airs「気取る」という熟語もあります．手元の英和辞典で，用例を調べてみてください．put on the dog という熟語はアメリカの俗語で「気取る」という意味です．辞典にもでていますが，コンテクストから意味の見当もつくと思います．ここまで訳しておくなら，

「私の本にはどこか外国風のところがあり，アメリカの読者はこれに時々反発することがある．確かに私はヨーロッパの作家たちのことによく触れるし，インテリ的な態度をとるし，気取っているように見える」
という感じでしょう．

「ふさわしい訳語」を

第3文あたりから，ベローらしさが強まってきます．readly は willingly「すすんで〜する」と同じです．I

am...hard to read という構文は，分かりますか.「私は読むのがむずかしい」と直訳することはできるでしょうが，「誰が読むのか」を見落とさないように．ここで言う「私」は，「私の文章」「私の本」とほぼ同じ意味で使われており，もちろん読むのは読者です．

　「あちらこちらで読みにくい」という日本語では，まるで読者の居住地がどこであっても，というようにも取れますね．もし本の「あちらこちら」というのであれば，言い方を変えたほうがより正確です．I am likely to become...は It is likely that I will become...と同じで，「そうなるだろう」という可能性についての話者の判断を示しています．

　文章の構造をきちんと把握するためには，比較級はとても重要です．harder が何と何を比較しているのか見落とさないように．「今もむずかしい」し，as 以下のようになれば「さらにむずかしくなるだろう」というのですね．illiteracy は literacy「読み書き能力」の頭に「反」「無」を意味する接頭語の il がついたのですから，正反対の意味を持つ語になります．illegal「違法の」を参考にしてください．「無教養」，「文章理解力不足」でもいいでしょうし，「活字離れ」と言い換えても面白いし，分かりいいですね．辞書では「文盲」と出ていますが，そもそも文字がまったく読めない人がこの知的な作家の作品を読むはずがないので，迂闊に訳語としてその

まま使わないようにしましょう.

次第に皮肉のきいた,ベローらしい言い方になってきているのがつかめたでしょうか.第3文を訳しておきます.

「作品のあちらこちらに多分難解な箇所があるのは潔く認めよう.読者一般の読み書き能力が今より低下すれば,私はますます難解な作家になってゆくのだろう」

いよいよ難解な箇所へ
ではこれに続く後半に行きます.

4-9▶ It is never an easy task to take the mental measure of your readers. There are things that *people should* know if they are to read books at all, and out of respect for them one is apt to assume more familiarity on their part with the history of the twentieth century than is objectively justified.

これもまた,より正確に読むべきポイントをはっきりさせるために,「直訳」的な訳を示してみましょうか.

「読者の知的程度を測定するということは,決して容易な仕事ではない.もし人々がいやしくも本を読むつもりであるのなら,彼らが知るべきことがあるのだ.そして本への敬意から,人は,客観的に正当化される以上の,20世紀の歴史との親密性を,それらの側において仮定

しがちである」

　おそらく，後半がとくによく分からないだろうと思います．この文章の，一番の混乱の元は，代名詞の指すものが分かりにくいことです．1行目の your，4行目の them と one がとくに要注意ですよ．

分かるところから，1歩ずつ
　そのポイントは後でまとめてみるとして，まず全体の表現を確認していきます．

　take the mental measure of という表現は見慣れないかもしれません．熟語 take the measure だけなら，英和辞典にありますね．measure は「寸法」で，元来「〜をはかる」という意味ですから，テーラーが洋服の寸法を取る場合などに使います．ここから「人の力量，人柄などを判断する」という意味にまで広げても使うのです．例文では mental「精神の，知能の」という形容詞がありますが，これは無くても同じ意味にとれるでしょう．

　if they are to read books at all　は，「be 動詞＋不定詞」に注目しましょう．（文法知識は怪しいと思ったら必ず確認する癖をつけておくこと．）予定，義務，可能などを表しますが，if 節では，目的を表すことが多いです．
　We must reduce labor cost if we are to make a profit.「黒字を出すつもりならば，人件費を削減しな

ければならない」

という適例が『英文法解説』にあります．at all という句は，I cannot speak Spanish at all. というように否定文で使われる場合は，強い否定だとはっきりしていていいのですが，肯定文の場合は厄介です．「多少とも」「とにかく」などと覚えておけば大体いいでしょう．とくに if 節の場合は「いやしくも」でうまく表現できることが多いようです．

その後では，familiarity が on their part を飛ばして with とくっついているのだと判断できましたか？ 間にある on their part は挿入句ですね．この their が何を指すかも問題です．最後の than is objectively justified は文字通りに訳せばよいので，あまりむずかしくありません．この部分がどこにかかっているのかも，見分けられますね．than とあるのですから前にある more familiarity 以外は考えられません．

ふたたび，代名詞パズルに挑戦

さて，代名詞の難問に挑戦です．まず your readers の your が指すものを，Step II を思い出して，正しく理解しておきましょう．指示先を考えずに「あなた達の」と訳すと，日本語で考えれば，誰を指すことになりますか？ そう，今これを読んでいる我々も含む，ベローのこの文章を読んでいる人達ですね．しかし，そうではな

いのは明白です．この文章を読むのは文筆業者とは限らない訳ですから，その人たちに「自分の読者」などいるはずがありません．では，

You can't make an omelet without breaking eggs.
「卵を割らないでオムレツは作れない」

における you, つまり「一般の人」でしょうか？　それも同様に，「一般の人」皆に「自分の読者」がいるわけではありませんから，納得がいきません．この問題は，never an easy task というのが誰にとっての task なのかということにも関連してきます．

とりあえず次に進みます．上記の訳の最大の問題点は，out of respect for them の them を books に取ったことです．正しくは people なのですね．これをヒントにすれば，他の代名詞についても正解にたどりつけるのではないでしょうか．ちなみに，respect は本当に尊敬しているというのでなく，「まあ，先輩だから敬意を払っておこうか」という場合の敬意と同じです．

難解の原因は「気取り」

さて，上記の them が people, すなわち「読者」だとすれば，out of respect for them は「読者への敬意から」となります．そうすると，その後に来る on their part の their も同じ，つまり，「彼ら(＝読者)の側においての」となります．

それでは，ここでその「彼ら」と向かい合う，主語 one は誰でしょうか．この one は「彼ら＝読者」との対比で出てきた言葉です．つまり，ここで them と対比されている one は，「作者」を指すと考えなければなりません．

One should love one's own country. のような場合は，「人は自国を愛するべきである」という意味で，one が「一般の人」を指すと知っていますね．one is apt to の one もこれと同じ用法として，「一般の人」と取ってしまいがちなのですが，先ほどの your も，この one もどちらも，この文章では作者ベローを指すのです．

しかしどうして自分のことを言うのに，my と I を使わないのでしょうか．実は，you にも one にも，「一般の人」という形をとりながら，もっぱら自分のことを念頭に置いている用法があるのです．とくに one がそうです．I get hungry at 11:50 a.m. というと，がつがつしているようで，恥ずかしいので，One gets hungry at 11:50 a.m. というのです．気取った感じですから，前者が「もう 11 時 50 分だもの，腹ペコペコだ」に対して，後者は「11 時 50 分ともなると，お腹がすくものですね」と上品になります．後者はそのものズバリでなく，わざと遠回しに表現するのですから，場合によってはキザだと評されるかもしれません．

これぞベローの筆法

なぜこんな言い方をしたのか，と言えば，これこそが，ベローの筆法なのだ，と言うしかないかもしれませんね．この文章はソール・ベローがアメリカの読者に敬遠されている事情を述べているのですが，内容だけでなく語り口もまた敬遠される原因なのかもしれません．

ここまでくれば，読者が「知るべきこと」というのと，「20世紀の歴史」とが大体同じであると，見当がついたでしょう．より具体的に考えると，例えばある作家が第2次世界大戦を背景にした，戦争で引き裂かれた一家の物語を書こうとした場合，よく言われるような「日本がアメリカと戦争していたなんて，嘘だろう」と本気で思っているような知識のない読者を想定したのでは，筆を進められないのは無理もないと理解出来ますね．ここでベローが問題にしているのはそういう読者なのです．

最後に people should とイタリック体で強調しているのですから，それもできれば考慮しましょう．

では，正確な訳を示しておきます．

「自分の本を手にしてくれる人々の知的水準を測るのは決して簡単に出来るものではない．いやしくも書物を読もうというのであれば，常識としてぜひ知らなくてはならない事柄がある．その点，読者に敬意を表して，彼らが20世紀の歴史に関してある程度の知識があるものとつい想定してしまうのだが，実際はそれ程の知識を持

つ読者はまず存在しないのだ」

　これまでの4つのステップで，英文の読み方が次第に身についてきたと期待しますが，いかがでしょうか．振り返って，自信がないと思う人は，ここまでのステップを復習なさるように勧めます．
　もうここまで分かったから，さらに先に行こうという人のために，次章では翻訳へのステップに挑戦してみましょう．実際に翻訳をやってみたい人だけでなく，目の前の英文を正確に理解したいと考えている人にも，次章は役に立つ内容になっていると信じます．

Step V

翻訳へのステップ
―― 日本語表現のコツ ――

英文和訳と翻訳

　皆さんもうお気づきのことと思いますが，英文を読む力をのばすための訓練として私が最も重視しているのは，「きちんとした訳文が作れる」ということです．

　ここまでの4つのステップで何度も見てきたように，英文を一読して大まかな意味を理解したように思えても，それを訳文として日本語に書き換えてみると，意味の通らないところやニュアンスを間違ってとらえているところなどが思いがけずくっきりと浮かび上がってきます．

　「英文和訳は翻訳ではないのだから，間違ってさえいなければ文章の出来にこだわる必要はない」と思っている人もいるかもしれません．けれど「間違っていない」にも色々な程度があることを，皆さんももうお分かりでしょう．これまで示してきたような「ピンぼけ訳」が，はたして，本当に「間違っていない訳」だと言えるでしょうか．単語どうしの「1対1」対応では正しくても，コンテクスト次第でその意味合いやニュアンスが変わってくるのはこれまで見たとおりです．たとえ英文和訳だといっても，読んでその内容が具体的に分からないような訳文はやはり落第で，場合によっては「間違い」と言ってもいいと思います．

　そういう考えから，私は英文和訳と翻訳が全く別物とは思わないという立場を取っています．強いて差をいう

のなら，前者は基本的に日本人が英文を理解するための補助的な役割を果たすのに対して，翻訳では訳文が日本語として独立して読めることが要求されること，と言えるでしょうか．細かい議論をすればきりがないので，とりあえずこのように述べておきます．

翻訳力をのばすためには

いま日本では，「翻訳家」を志す人がとても増えているそうです．私も「翻訳家を目指しているのですが，どうしたらいいでしょうか」とか，「どうすれば翻訳が上手くなるでしょうか」といった質問を受けることがあります．このような時に私のする助言は地味なものです．つまり，「読む，書く，聞く，話す」という英語の4つの技能をしっかり身につけなさい，というのです．もっとやる気を起こさせる助言だとよいのだけど，と我ながら思うのですが，私はバカ正直なのでしょう．

英文和訳が出来なければ絶対に翻訳者にはなれません．まず英文解釈を目指して，難易たくさんの英文の構文，内容を理解する勉強をこつこつやるのが第1です．もちろん，英文の解釈力があればよい翻訳家になれるかと問われれば，これから述べてゆくように，必ずしもそうではなく，他の能力も必要です．でも，繰り返しますが，

> 翻訳家で英文和訳が出来ない人は1人もいない

のです．この点をしっかり認識してください．

　その上で，この Step V は次の段階です．これまでの4つのステップではこの英文解釈の力を育ててきたわけですが，ある程度のレベルに達した人が，次にどうすればよいかを述べてみます．正直なところ，誰にでも効果のある秘伝などありませんし，私の英文和訳は翻訳にかなり近いものですから，これまで述べてきたことを別の角度から述べるだけとも言えます．しかし私の考える「翻訳の鉄則」が，読者の皆さんに何らかのヒントになることを願いつつ，思いつくことを挙げてみましょう．

☞ その1「原文を徹底的に理解する」

　とにかく「原文を徹底的に理解する」，このことについてはもう説明の必要はないでしょう．この本でずっとやってきた「正確な読み」，さらに「深読み」が，翻訳の必要不可欠な条件であることは間違いありません．

　確かに，これは簡単に出来ることではありません．しかし原文がきちんと読めていないのに翻訳するということは，そもそもあり得ないことではないでしょうか．むろん1冊の本には，いくら調べ，考えても，意味が充分に理解できない箇所もいくつか残るでしょう．原作者自身に尋ねても，本人も曖昧にしか分からないで書いている場合もあります．しかし，そういう数少ない箇所は例外として，大部分は，「なぜこう訳せるのか」を人に

堂々と解説出来るくらいまで深く理解した上で，初めて翻訳開始とすべきです．これが大前提です．

その２「君のおばあちゃんでも分かるように」

　第１級の翻訳家で英文学者である中野好夫先生は，訳読の授業の時に，原文の１語１語を丁寧に拾うように日本語に置き換えていく学生がいると，「鳩がエサをついばむようなのはいかん．それじゃあ，何のことか分からん．いいかね，君のおばあちゃんでも分かるように訳したらどうだ」と強く要請されたそうです．私自身はそこには居合わせませんでしたが，先生なら充分あり得る発言だと思います．

　人柄からもそう判断できますが，何よりも先生が残された多数の翻訳がまさにそういうものだからです．シェイクスピア，スウィフト，オースティン，ディケンズ，モームと，先生は数多くの作家の劇や小説を訳されていますが，部屋の描写なら目の前に部屋が鮮明に浮かんで来るし，３人の登場人物の会話なら，まるでそばでその話を聞いているかのように，その３人の表情の変化や口調までも手に取るように分かります．作品世界への入りやすさが，最初から日本語で書かれた作品を読んでいるときとあまり変わらないのです．これは翻訳のひとつの理想ですね．

原文の雰囲気を備えた訳とは

一例を挙げます．鬼才エドガー・アラン・ポーの「黒猫」という短篇の冒頭です．

For the most wild, yet homely narrative which I am about to pen, I neither expect nor solicit belief. Mad indeed would I be to expect it, in a case where my very senses reject their evidence. Yet, mad am I not—and very surely do I not dream. But tomorrow I die, and today I would unburthen my soul.

(E. A. Poe, "The Black Cat")

訳A「いまここに書き留めようと思う，世にも奇怪な，また世にも単純なこの物語を，私は信じてもらえるとは思わないし，またそう願いもしない．そうだ，私の目，私の耳が，まず承認を拒もうというこの事件を，他人に信じてもらおうなどとは，まことに狂気の沙汰とでもいうべきであろう．しかも私は，狂ってはいないのだ——夢をみているのでないことも確かだ．だが，私は，もう明日は死んでゆく身だ．せめては今日のうちに，この心の重荷をおろしておきたいのだ」

いかがでしょうか．これが翻訳として優れていることを理解するのには，次の日本文とくらべてみてください．

訳B「これから私が語ろうとする，極めて荒涼とした，しかしひじょうにありふれた物語を，読者に信じてもらおうとなどということを，私は期待もしないし，願いも

しない．自分自身の感覚がみずからの証拠をすべて否定するような場合において，人に信じてもらおうと仮に期待するとすれば，それは狂人でしかないからだ．だが私は狂っているわけではないし，また，夢をみているのでもない．ただ，明日死ぬのだ．だから今日のうちに心の重荷を除きたいのである」

　Bも英文和訳としてなら，Aに劣りません．より正確かもしれませんね．でも翻訳としては，Aが上なのはお分かりでしょう．（Bは私が英文和訳の１例として作文したものです．）

　「１対１」対応の訳文は多くの場合，言葉がやせているというか，イメージの広がりがなく，訳文を読む人があらためてその場面の情景や雰囲気を想像しなければなりません．おそらく中野先生の翻訳が見事なのは，原文が持っている雰囲気までも訳文に持たせているということではないでしょうか．そのためにどうすればいいかということを簡潔に言い表した言葉として，私は「君のおばあちゃんでも分かるように訳せ」を頭に思い浮かべるのです．

☞ その３「原文を暗記する」

　通訳の訓練のひとつに，シャドウイングというのがあります．話者の英語を聞いて，まるで影のように直ぐ後から追いかけて，繰り返す．口真似です．通訳の場合は

話者と一体化してしまうことがいわば理想ですから，その感覚を身につけるために，まず意味などは考えず，ひたすら聞いたままに再現しようと努めるのです．

　英米の赤ん坊が親の言葉を真似るのとは違って，日本語を母語とする成人が行なう場合は，意味が全く分からなくては，再現はなかなか困難でしょう．最初は仕方がないのですが，ある段階まで練習したら，次第に意味を把握しながら真似をします．意味が分からないということは，ちゃんと聞き取りができていないということでもあるからです．完成されたシャドウイングは，内容を理解しながらの聞き取り能力に支えられているのが普通です．英語のリズムとイントネーションを身につけるには，ひじょうに有効な勉強法でしょう．

　シャドウイングは耳と口の訓練ですから，音声抜きで目を使う翻訳とは無関係です．しかし，原文をしっかりと理解し，原文の執筆者あるいは作中人物と訳者が一体化したような感覚を味わうためには，シャドウイングに近いことをやります．とにかく，原文を手にしたら，まとまった数行ずつを丸暗記してしまうのです．もちろんこのときには，ただ文字面を暗唱できるようにするというのではなく，細部を読み込みながら，全体を理解できるまで何回も読む中で覚えていきます．そうすることで英語と日本語「1対1」の限られた視点からではなく，全体の流れとリズムの中で，その箇所の本当の「意味」

が見えてくるように思います.

こうしてまとまった数行を自分が原作者であるかのように理解出来たら,その内容を日本語に移します.すると,原文の語順などに引きずられないで,日本語らしい訳文が出来上がります.

☞ その4「2段階翻訳をしない」

『リーダーズ・ダイジェスト』という,人気の高い月刊誌が昔ありました.夢中で読んだ読者の多くはすでに70歳前後でしょう.第2次世界大戦後,出版にあてる用紙が足りない中で,連合軍総司令部が特別の配慮で配給して日本版を刊行させたアメリカの雑誌です.終戦直後の何もない時代のことで,活字に飢えていた日本人読者は,発売日には長蛇の列を作って買ったものです.内容は全部翻訳なのですが,これが読みやすかったのも人気の理由のひとつでした.

一体どういう人達が訳したのでしょうか.伝えられる話では,まず英語を読む力のすぐれた人,おそらくは英語の先生が,原文に忠実な訳,いうなれば直訳的な英文和訳をし,これを日本人作家が達意の日本語へと,いわば意訳したそうです.こうした二重の手続きを経て,直訳調を脱した翻訳が誕生したのです.

このやり方はある程度の成功を収めたようですが,私見では,第1段階の「忠実な直訳」はそれほど困難では

ないでしょうけれど，そこから第2段階の「意訳」を生み出さねばならなかった作家たちは相当に苦労したのではないかと思います．原文のニュアンスや雰囲気までも盛り込んだ訳文にしなければならないのに，その作業を行なう作家たちは原文に触れることもなく，「直訳調」に作られた陰影のない訳文から日本語の文章を生み出さねばならないわけですから，かなり想像力を働かせないと無理だったのではないかと思います．

　一般的には翻訳は，1人でこの2段階を「同時に」行なうものと言っていいでしょう．私が「その3」で述べたような暗記法をとるのも，この「1人2役」に有効だからということもあります．「1人で同時に」というところが肝心で，直訳調の粗っぽい訳をいったん経てしまうと，どうしてもそこで「行間」に込められた意味が抜け落ちてしまうのです．

　本書では「直訳」と練り直した訳を並べている箇所も多いですが，これはあくまで「違い」をはっきり感じていただくための方策です．決して「直訳」の日本語から第2段階の翻訳を生み出すことを勧めているのではないので，その点誤解のないようにしてください．翻訳は，あくまで英語から「1人で同時に」が基本です．

☞ その5「見直し作業で原文を参照しすぎない」

　翻訳作業がいったん終わると，もちろんそれを点検し

ます．この段階で，誤訳したり，1行抜かしたりがないかどうかをチェックするのですが，いったん丁寧に確認を終えたら，その後は出来る限り原文を見ないようにするのがかえって有効だと私は考えています．「その1」と「その3」の作業で，ほぼ丸暗記に近いほど原文に慣れ親しんでいるのですから，点検にさいしては主に自分の訳文を読んで，意味不明だった場合に限って原文をチェックすれば充分です．それよりも訳文が「その2」の理想に近づいているかということのほうに神経を使うようにします．

　本を出版する場合には，「校正刷り」と呼ばれる，実際に本になったときの頁と同じように印刷された仮刷りで何度かチェックするのが普通ですが，このときも同じように，原文はあまり見ないようにしています．少なくとも，原文と翻訳を始終照合するのは絶対に避けるべきだと私は思います．

　私の先輩で律儀な人がいて，翻訳は何よりもまず正確であるべきだというのがその主張で，そのためか3度目の校正刷りを見る段になってもまだ原文と訳文を引きくらべていました．あるとき，私が学生と卒業論文に何を選ぶかという相談をしていたとき，その学生の好みにあいそうなある作家の代表作を取り上げるように推薦しました．ところが，嫌だというのです．理由として，その本は既に翻訳で読んだけど，よく分からないし，面白く

なかった,といいました.「何人かの人が翻訳しているけれど,訳者の名前分かる?」という私の質問に,学生が口にしたのは上記の人でした.

もちろん,正確であることは重要です.しかし正確さにも色々ある,ということについては,もうくどく述べる必要はありませんね.

その6「訳文は音読して改善せよ」

とはいえ,いったん訳してしまった後は,自分だけの力で自分の訳を改善するのは事実上なかなか困難なのも事実です.例えば原文のニュアンスを活かしきれていないために日本文だけでは読みにくい箇所があっても,自分はすでに内容を知り尽くしているので,勝手に頭の中で補って読んでしまって,日本文には上手く表現されていないと気がつかないこともよくあります.また原文の曖昧さやむずかしさなども覚えていることから,「あの英文をここまで意味が通る訳にしたのだから,これでいい,充分だ」と採点が甘くなりがちです.なかなか客観的にいいか悪いか判断するのはむずかしいのですね.

こんなとき,信用できる友人など,日本文だけを読んで印象をきかせてくれるよう依頼できる助言者がいれば理想的ですが,それが無理な場合には,自分の訳文を音読してみることを勧めます.私自身もよく音読してみます.そうすると,引っかかって声に出して読めない箇所

や，回りくどくて意味がとれない箇所がよく分かってくるのです．

以上，私が実際の翻訳作業の中で行なっている6つの「鉄則」を挙げてみました．もちろん，他の翻訳家の方に尋ねればまた違う答えが返ってくることはあるでしょうが，「どうすれば上手くなるか」と悩んでいる方は，いちどこの鉄則を試しに実践してみてはいかがですか．

翻訳演習に挑戦

本格的に翻訳の力をのばすのはこの本の主眼ではありませんから，以下この章では，あくまで翻訳へのステップとして，本書で身につけてきたことを活かす手がかりを考えていきたいと思います．「翻訳」と呼ぶに値する理想的な訳文を生み出すために近道はありませんが，いくつかのテクニックは応用可能な場面もあるでしょう．

ではここからはいくつか，「翻訳演習」をやってみることにします．まずは，イギリスのジャーナリストでありエッセイストだったガードナーのエッセイから．1920年代の話なので，タクシーではなく馬車の時代です．

5-1▶ Mr. Chesterton once described how he evoked the emotions of a holiday by calling a cab, piling it up with luggage, and driving to the station. Then, having had his sensation, he drove home again. It seemed to me rather a poor way of taking an imaginative holiday. One might as well heat an empty oven in order to imagine a feast.

(Alfred G. Gardiner, "On a Map of the Oberland")

いかがでしょう．単語も文法もそれほどむずかしいものはないので，ここまでの問題にチャレンジしてこられた読者には，前から順番に普通に読んで意味を取っていける方が多いのではないかと思います．

間違っていない訳文，よい翻訳
ところが，こういう淡々と読める文章は，意外に訳文にしてみると，曖昧になりがちなのです．とりあえず一例を挙げてみます．以下の訳文を，原文と付き合わせないで読んでみてください．

「チェスタートン氏はかつて，馬車を呼び，それを荷物で一杯にし，駅まで走らせることによって，どのようにして休日の感情を喚起したかを，述べた．それから，この気分を持ち続けていたため，再び家までドライブした．それは，想像上の休日を取るためのむしろ貧弱な方法であるように私には思われた．ご馳走を想像するためであるのなら，空のオーブンを熱してもいいのだ」

日本語だけ読むと，どう考えても「よい翻訳」とは言えないですね．何の話かよく分からないくらいです．し

かし「どこがよくないか」と問われて改めて原文と付き合わせてみると，意外に正確なようでもあります．具体的にどこが間違っていると指摘するのはむずかしい．これが，今までも見てきた「ピンぼけ訳」の典型例です．これではまだまだ英語を日本語に置き換えただけで，日本語として書き直せていないのですね．先ほども述べたように，翻訳は英文和訳と違って日本文として自立していなければいけませんから，

> 原文と対照しながら読んで「間違っていない」だけではダメ

なのです．

読者を待たせない

では日本語を読み直して，私ならどこでつまずくかを挙げてみます．3点にしぼりましょう．まずは「かつて，馬車を呼び……」のところで，「意味の継ぎ目」が明確ではなく，肩すかしをされたような感じがあります．「馬車を呼び，それを荷物で一杯にし，駅まで走らせることによって……」と，文章がどんどん続くので，「かつて」チェスタートン氏がどうしたのか，がよく分からなくなってしまうのですね．元々は「once described」ですから，「かつて」は「述べた」にかかるわけです．それを長い文章の最初と終わりにこんなに離して置いた

のでは，読者は待ちくたびれてしまいます．

「once」は時を表す副詞ですが，副詞というのは，翻訳者にとってなかなかのくせ者です．その副詞が持っている意味を訳文のどこかに入れておけばよいというものではなく，そのひと言をどこにおくかで文章が全体として持つ意味や調子が全く変わってしまうこともあるのです．たかだか副詞とあなどってはいけません．

訳語は直球ばかりではない

次に，「どのようにして休日の感情を喚起したかを」という言い回しが，どうも内容に比して大げさなのですね．how は文字通りにはもちろん「どのようにして」でよいでしょうが，1対1訳では翻訳どころか英文和訳にもなりません．how というのは方法・やり方を問うている語ですから，

> 翻訳のなかにその意味をとけ込ませることが出来れば，「訳語」としてストレートに出ていなくてもかまわない

——というよりは，翻訳の現場ではそういう作業は日常茶飯事と言えるでしょう．

もうひとつ，どうにも曖昧なのが，最後の「ご馳走を想像するためであるのなら，空のオーブンを熱してもいいのだ」の部分ですね．この文がそれまでの文とどうつ

ながるのか，先ほどの訳では全く表現できていません．might as well は直訳では「～した方がましだ」という意味ですが，この日本語から少し考えれば分かるように，「～するよりも」という比較を言外に含んだ言い方なのです．ここでは何をするより何をしたほうがましだと比較しているのか，両方を具体的に説明できるまで，原文を繰り返し読み検討しましょう．その結果，次のような訳し方が出来ると思います．

「馬車を呼び，旅行の荷物を満載して駅まで走らせるだけで，充分に休日気分が味わえるとチェスタートン氏が以前述べていた．そうやって旅行気分を味わったら，そのまま馬車を家まで走らせるというのだ．これを読んだとき，想像の世界で色々と経験して休日を楽しむ方法として，あまりうまいやり方ではないと思った．そんなことをするくらいなら，空の竈を熱してご馳走を食べた気になるほうが，まだましだ」

英文と2つの訳文をよく読みくらべてみてください．

趣味の翻訳，プロの翻訳

日本で商業出版の翻訳をしている人を大きく分けると，翻訳だけを仕事としている人と，大学などでそれぞれの専門分野を教えている人とがいます．人文・社会科学や医学，自然科学などの学術書の翻訳は，専門知識も必要なので後者がすることが多いですが，文学作品の場合は

両方あり得るでしょう．

　翻訳を生業としている人を仮にプロ翻訳家と呼ぶとしましょう．もちろんプロ翻訳家にもさまざまなレベルがありますが，数少ない第一級の人たちをのぞいて，おそらく自ら訳したい本を選ぶよりは出版社からの注文に応じる形で仕事にのぞむことが多いでしょう．最近はインターネットなどで必要な知識を得ることも容易になりましたから，昔より守備範囲が広がって，こうしたプロの翻訳家が，一般読者向けの入門書を訳していることもあります．

　それに対して大学などで職を持つ人が翻訳をする場合，言ってみれば必須の仕事ではないわけですから，訳すべき本を選ぶ余裕があります．こちらはプロ翻訳家ではありませんが，通常訳そうとする原書に愛着があり，その本にまつわる専門知識も有している場合がほとんどです．しかし，だからといってよい翻訳をするかといえば，残念ながらそうとは限りません．

　しばしば翻訳について誤訳が指摘されることがあるのはご存じでしょう．そのときに非難されるのは，実はほとんどが後者なのです．

プロの道は険し
　批判すべき翻訳には，英語を正確に理解していない場合と，訳文が日本語として読みづらい場合とがあります．

Step V　翻訳へのステップ

　そして，日本での翻訳批判は大部分が前者，つまり英語を正確に理解していないことを指摘するものです．大学の先生は専門分野のプロであっても英文を読み翻訳することのプロではないわけですから，ある意味でこれは仕方のない面もあるかもしれません．もちろん外国語を専門としない大学の先生の中にも，素晴らしい翻訳をされる方は多々ありますから，一概には言えないことも付け加えておきましょう．

　その他，プロ翻訳家の予備軍として，仕事にはならなくても自力で勉強を続けている人もたくさんいます．大学の英文科を出て今は主婦をしている若いお母さんなど，子供のために児童書を翻訳したいととても熱心に勉強をしている人もたくさんいるようです．翻訳力は学歴に頼るものではありませんし，今では翻訳家養成の学校もあります．極端にいえば，英文解釈の実力が人一倍あり，かつ，日本語の作文力に長けていれば，誰にでもチャンスはあるということです．

　ただ，「英語が出来る」と自分で思っても，それが本当はどれくらいのレベルであるか，翻訳家を本気で目指すならば，どこかで権威ある人の判断を仰ぐ必要があります．自己診断は自分可愛さ故の甘い判断であることがよくありますから．プロの道はどの分野でも厳しいのは，英語の場合も全く同じです．

曖昧翻訳の実例

 とはいえ,世の中で出版されている翻訳がどれも「プロの仕事」ですぐれたものかというと,そんなことはありません.正直なところ,本屋さんで売られている翻訳の中にもびっくりするようなレベルのものもあります.他人の翻訳のあら探しは本意ではないのですが,本書でこれまで身につけてきたことと関係するので,ひとつだけ例を挙げておきましょう.

 これは,実際に文学全集の1冊に収録されている訳文です.アメリカの裕福な婦人の秘書をしている,文学好きな若い女性の話です.この女性はホテル暮らしをしているのですが,同じホテルに,彼女が尊敬しているイギリスの詩人の父親が住んでいます.貧しい上にアル中のみすぼらしい老人で,彼女は時々援助していますが,老人は息子の詩作を愛し,誇りにしているようです.そこへたまたまその詩人が,彼女の雇用主である婦人の邸に泊まりに来ることになりました.もし息子が父の現状を知ればすぐ援助の手をさしのべるだろうと,彼女は期待しました.ところが……

5-2▶ But the days passed and he made no sign of wishing to see his father, and at last, one day when she was answering letters for him, she told him that she knew his father, that they lived in fact in the same hotel, and that his father wanted terribly to see him. 'Ooh?' he said and went on with his dictation. She was horrified. She felt obliged to tell the old man. He chuckled. 'He's ashamed of me,' he said. 'He's a lousy poet,' she said indignantly. 'No,' he answered, 'he's a lousy man; he remains a great poet.'

(Somerset Maugham, *A Writer's Notebook*)

「だが幾日かすぎても彼には父親に逢いたいらしい気ぶりもないので、彼女は遂にある日、彼に代筆して手紙の返事を書いている時に、お父さんを知っていること、事実同じホテルに居ること、そしてお父さんはとても逢いたがっているということを話した.「おォ?」と言ったなり彼は口述をつづけた.彼女はおそろしくなった.あの老人に話さなければならないと思った.彼はくすりと笑った.「彼は僕を恥じてますよ」と彼が言った.「そりゃあの方はヘボ詩人ですもの」と彼女は腹立たしげに言った.「いいや」と彼は答えて,「彼はヘボの人間なのです.彼は未だに偉大な詩人ですよ」」(『サマセット・モーム全集』26)

なぜ曖昧翻訳になるのか

本書のStep IIをすでに読まれた方はもうお分かりでしょうが、この訳がよく分からない一番大きな理由は、

「彼」という代名詞を父にも詩人にも使っているからです．そのため，話の内容が具体的に追えなくなってしまっています．

その点，このように訳してみてはどうでしょうか．

「ところが日数が経つのに，詩人は父に会おうとする様子を少しもみせない．そこで，ある日，詩人に手紙の返事を口述させられていた時，秘書は思いきって，お父上を存じあげて居ります，実はわたくし同じホテルに住んでおります，お会いになることを切望していらっしゃいますわ，と話した．しかし詩人は「ああそう」と言うだけで，口述を続けるのだった．彼女は愕然とした．老人に言わざるを得ないと思った．話すと老人はくすっと笑い，「倅はわしを恥じているんだ」と言った．彼女は憤慨して，「あの人は最低の詩人ですわ」と言った．ところが老人は「いや，最低の人間だが，やはり最高の詩人ではあるな」と答えた」

「原文は全部 he なのだから，訳文も彼で統一したっていい」と思う人がもしかすると，いるかもしれません．けれども現実の問題として，he が父と詩人のどちらを指すか，英語では誤解しないのに，訳文でそのまま直訳すると曖昧になるのです．英語と日本語のように，語順などすべての面で差異の大きい言語どうしでは訳文に工夫が要るのだと観念してほしいものです．

Step V　翻訳へのステップ

「正解」がないからこそ

　他人が訳した文章を読みながら，語彙や文法が正しく訳せていない箇所や「普通の日本語」として読みにくい箇所を指摘するのはある意味簡単なことです．ところが，意味は正しく取れていて，日本文としてみても決して不自然ではないけれども，果たしてこの訳でよいかどうか？という問題になってくると，ことはむずかしくなってきます．いわば，正解のない領域に踏み込んだと言ってもよいでしょう．

　原文を理解していないと指摘する誤訳批判の場合は，「正解」を示すことがたいていは可能ですからまだいいのですが，英文解釈として正確だが訳文が日本語として読めるかどうかという話になると客観的な「よい悪い」の物差しがありませんから，訳者と批判者の間で揉め事の種になることもしょっちゅうです．

　もちろん，訳し方には色々あっていいのです．「Are you a boy or a girl?」を思い出してください．しかし，訳し方に選択肢があると意識した上で，その文章のコンテクストにおいて最適の訳し方を選べるかどうか……これが，翻訳者の腕の見せ所といえるでしょう．前後のつながりから最適の日本語を選びだす，まさに「筋を読む」力がここで生きてきます．

まずは「筋」を読み解く

それでは，具体的な文章で，「筋」を読み解きそれを訳に反映させる訓練をしてみましょう．

次の文章は，ある女性についての伝記の要約です．20世紀初頭のヨーロッパ社交界で絶世の美女と謳われ，才女でもあり，王侯貴族などの他，美術評論家のベレンソンや作家のプルーストなどにも賛美された女性で，グラディスという名です．彼女はヴィクトリア朝後期に国籍を離脱してイギリスに移住した富裕なアメリカ人夫妻の娘ですが，1895年，14歳の時，新聞か雑誌で，コンスエロという裕福なアメリカ娘がいやいやながらイギリスのモールバラ公爵と結婚したという話を目にします．それなら自分も玉の輿に乗ろうと決心したことから，彼女の人生は動き始めました．

彼女にその決心をさせたのは，彼女の心の傷でした．11歳の時，父が母の愛人を射殺するというスキャンダラスな事件を起こし，彼女の両親は離婚していたのです．それ故グラディスは，結婚というものは必ずしも生涯守るべき約束だとは考えていませんでした．コンスエロが公爵と気の進まぬ結婚をしたのであれば，自分がモールバラ公爵の妻になろうと決意すれば，いつの日か彼女に取って代わる可能性はあると考えたようです．そしてグラディスの最大の武器は並はずれた美貌でした．その美しさを描いたのが，以下の箇所です．

Step V 翻訳へのステップ

5-3▶ At 16, with a beauty made disturbing by her blazing blue eyes, she was already a siren. Her conversation shone, her profile was just short of perfection. She had many admirers during her 25-year campaign to marry Marlborough when he and Consuelo were divorced. The art critic Bernard Berenson was mesmerized by the teen-age Gladys, and his wife, though jealous, felt the same. "She is radiant and sphinxlike," she wrote, "enchanting, but tiring. A wonderful creature, but too much of a born actress to take quite seriously. But so beautiful, so graceful, so changeful in a hundred moods, so brilliant that it is enough to turn anyone's head."　　(Eve Auchincloss, *Time*, June 1980)

まず大まかな訳を挙げておきましょう.
「16歳の時,輝く碧眼によって人を不安にさせる美貌のため,彼女はすでにして妖女であった.話術にすぐれ,横顔はほんの少しだけ完璧に足りなかった.モールバラ公爵とコンスエロが離婚した時,彼女には公爵と結婚するための25年間の運動中に得た多くの求婚者がいた.美術批評家のバーナード・ベレンソンは,10代のグラディスに魅了されてしまった.そしてその妻も,嫉妬深かったにもかかわらず,夫と同じように感じていた.彼女は次のように書いている.「彼女は,まばゆいばかりで,スフィンクスのように神秘的で,魅惑的だけど,う

んざりだわ．素晴らしい人だけど，生まれついての女優の才能がありすぎて，あまり物事を真面目に考えることができないようね．でもとっても美しいし，とっても優雅だし，気分によってさまざまに変化するし，あまりに見事なので，どんな人をも夢中にさせるのに充分なのよ」と」

「力点」を意識して

1文ごとの訳として読むならば，この訳文でも問題はないのかもしれません．しかし全体の「コンテクスト」を意識すると，違う表現の方が「筋」が生きてくる箇所がいくつもあります．「愛」や「結婚」に幻想をいだかず，打算的，現実的に，すでに妻のある公爵との結婚をもくろむ，絶世の美女グラディス．彼女の強烈な魅力とそれに振り回される周りの人々の様子を伝える文章，この雰囲気を日本語で再現すべく，もう少し細部にこだわってみましょう．

まず disturbing について．普通に考えれば「人を不安にさせる」というのはマイナスな要素ですが，ここは「美」の要素として使われています．日本語にも「悩殺する」という語がありますね．美女にも「癒し系」と「悩殺系」があるとして，グラディスは明らかに後者です．それを意識すれば，「胸がどきどきするような」「思わず我を忘れるような」「悩殺的な」「青い目が妖しげな

雰囲気を醸し出す」などの訳語を考え出すことができます．

次に her profile just short of perfection は，力点を short と perfection のどちらに置くかが判断の分かれ目です．文章全体のコンテクストが彼女の魅力に力点を置いていますから，ここは perfection のほうを目立たせるのがよいと考えましょう．「完璧にはほんの少し欠けている」というのと，「ほぼ完璧である」というのとでは，まったく印象が違ってきます．

「筋」を把握して訳し分ける

25-year campaign については，「運動」という表現がグラディスの雰囲気にあわないことに加えて，時間的な前後関係がはっきりしない言い方になっているのが気になります．文中の動詞はどちらも過去形なので明白ではありませんが，ここでは文の順序が時の順序と考えればよいでしょう．内容をかみくだいて考えれば，「25年間，色々と策略をめぐらしそれを実行してきたのだが，その間に多数の崇拝者が現れた．遂に公爵とコンスエロは離婚し，グラディスは目的を遂げた」ということですね．それを理解した上で，訳していくようにしましょう．

最後にベレンソン夫人の言葉です．though jealous を「嫉妬深かったにもかかわらず」としていますが，果たしてベレンソン夫人は嫉妬深い人だったのでしょうか．

それとも，グラディスに対してだけ嫉妬心に駆られたのでしょうか．

　jealous に限らず，形容詞は大体，「人の性質」「その場の気持ち」のどちらの意味にもなりうるものです．事例を出さずに，ある人物の性質を抽象的に述べている場合なら，「嫉妬深いたち」のように訳すとしっくりきます．しかし今の場合のように具体的な状況が述べられているときは，その時だけの，特定の誰かに向けられた気持ちと取る方が多いでしょう．例えば，

　Mary was kind. She went out of her way to guide the blind woman to the station.「メアリは親切なことをしました．その目の不自由な婦人を遠回りして駅まで案内してあげたのです」

のような文では，「親切な行為」を述べているだけで，メアリが常に親切な人であったかどうかは不明ですね．ここの jealous も，まずこれと同じと取るのが普通です．

　to take quite seriously の訳は，そもそも文の構造を間違った人も多いかもしれません．これは，

　The box is too heavy to carry by myself.「その箱は重すぎて，私ひとりでは運べない」

と同じ構文です．take の主語はベレンソン夫人なのです．省略を補うと「...but she is too much of a born actress for me to take seriously」ですから，「私は彼女のことをまともに受け取れない」という意味になります．

「絶世の美女グラディス」誕生

　最後の brilliant を「見事」と訳しては，他の形容詞と区別がつきませんから，ここでは，はっきりと「頭脳明晰」とすべきですね．彼女の美点を称える色々な言葉を，それぞれの単語の力点を考慮しながら日本語にしましょう．

　「16歳になった彼女は，燃えるような青い目のために悩殺的な美貌を有し，すでに一人前の妖女となっていた．抜群の会話の才を持ち，横顔はほぼ古典的な美人のそれだった．モールバラ公がコンスエロと離婚するまでの25年間，彼女はあれこれ画策したわけだが，その間に多数の崇拝者が現れた．美術評論家のバーナード・ベレンソンも10代のグラディスに心を奪われ，彼の妻は嫉妬心をおぼえつつも，やはり同じような気持ちだった．「あの人はまぶしいばかりに輝いていて，謎めいているわ．魅惑的だけど，人を疲れさせる．驚嘆すべき人だけど，生まれついての演技者という面がありすぎるから，どこまで本気に受け取ってよいのか分からないわね．それでも，とにかくすごく美しいし，優雅だし，気分次第で何百もの顔を見せられるし，頭の切れもいい．誰もが彼女にのぼせ上がるのも無理はない」ベレンソン夫人はこう述べている」

　どうでしょう，「絶世の美女グラディス」の雰囲気が，

少しは感じられたでしょうか.

「I」と「我輩」

「コンテクスト」を活かした訳語を,という意識をもう1歩進めると,「文体」ということにたどりつきます.原文の文体を読みとるむずかしさは Step IV でみたとおりですが,翻訳をどういう文体にするかということも,これまたとてもむずかしい問題です.翻訳者にはまたその人なりの日本語での文体があり,原文によって使い分けるといっても限界があります.

たとえば中野好夫訳『ガリヴァー旅行記』を読むと,スウィフトと訳者の文体の相性のよさを感じます.『ガリヴァー旅行記』の翻訳は何種類もありますが,私は中野訳で最初に読んだせいか,未だにこれが最上だと思っています.「小人国」の書き出し,「親父というのはノティンガムシアでわずかばかりの土地持ちだった.我輩をケンブリッジのエマニュエル学寮に遊学させた」はほとんど暗記しているくらいです.

「我輩」はむろん原文では I ですね.1人称単数の表現は英語では I しかないのに,日本語では無数にあるというのは確かですが,だからといって英語の文体は単純だと結論するのは,もちろん誤解です.中野先生は何かの作品の翻訳を始める際,I をどう訳すかにかなり頭を使うと言っていたと記憶しています.この作品の場合,

我輩がピタリであるように私には思えているのですが，皆さんはどうでしょうか．

原作との相性

ところが，同氏の『高慢と偏見』については，すぐれた訳だとは思いますが，ジェーン・オースティンの文体と中野氏の文体がスウィフトの場合ほどぴったり合ってはいないような気が私にはします．

私がヘンリー・ジェイムズの問題作『ねじの回転』を訳したときは，若い女家庭教師の手記という形になっているので，それに見合う文体で訳そうと心掛けましたが，日常生活での私の文体があちこちにでていると批評する友人もいました．何人かの作家の複数の作品を訳すとき，理想はもちろんそれぞれの場合に当該作品の雰囲気に見合った訳文を作ることなのですが，少なくとも非力な私にはなかなかむずかしい到達目標だと告白せざるを得ません．

こうした翻訳と原作の相性については，ひとつの作品にいくつもの翻訳があるものを読みくらべてみるとよくわかるでしょう．シェイクスピアやメルヴィル，モームやヘンリー・ジェイムズのような古典的な文学作品はとくに，翻訳書が複数刊行されていることがほとんどです．専門家でなければ同じ作品を違う翻訳で読む機会は少ないかもしれませんが，翻訳に興味のある方なら，ぜひ試

してみることをお勧めします．

　たとえば『ハムレット』の翻訳はたくさんの訳が簡単に入手できる文庫に入っていますから，いくつか読みくらべてみたらいかが．もし坪内逍遥の古風な訳を図書館などで読めば，最近のどの訳とも違うでしょう．単に古いということだけでなく，言葉のリズムなどにそれぞれ違った味わいがあることが分かると思います．

　また，有名な作品なのに翻訳がなかなか刊行されず，何十年も経ってようやく出たような場合，長年原作に親しんできた人たちから「原作との相性がよくない」という不満が聞こえることがあります．語学的には正確な訳でも，どうも原作から受ける感じとちがう．例えば，女主人公について，原作では，元気いっぱいで陽気な性格で，どこかよい育ちらしい上品なところがあるのに，翻訳では陽気なだけで上品さに欠ける，というような批判です．

　翻訳者の理解不足の場合は論外ですが，「正解」のない領域に入ってくると，こうした批判が出ることは仕方のない面もあるでしょう．

　ある作品の冒頭の文が，仮に When I was born, my father worked at a post office. だったとしましょう．これをドイツ語・フランス語・スペイン語に訳そうとするなら，原文の英語とほぼ同じ語彙・語順で置き換えることができます．ところが日本語では，残念ながらそうは

いきません．「ほぼ同じに置き換える」ことがそもそも出来ないのです．「私の生まれた頃，父は郵便局で働いていました」というのは，原文と「ほぼ同じ」ではありません．

これは果たして，「俺が生まれた頃はな，親父は郵便局で働いていたんだ」としなくてよいのかどうか？　それはつねに，作品全体のコンテクストを考えながら選択していかなくてはいけないのです．少なくとも日本語に訳す場合には，書き手の感情や原文の雰囲気についての翻訳者の「解釈」が入りこむ余地が大きいと言えるのです．

書き手の思いを読み解く

少しおしゃべりが続きましたので，英文に戻りましょうか．原文の雰囲気を訳文に盛り込む練習をしてみます．

100年ほど前のイギリスの話ですが，あちこちに古くなった船舶を解体する大きな作業場がよく目についたそうです．海洋国だったイギリスですから，大小の船が建造される一方，寿命のつきた船も数多く，解体して木材として利用することも多かったのです．

ある作家がこういう解体作業場に置かれた船についてエッセイを書いています．

5-4▶ Nearly every one must know the place I write

of. It is where they break up into logs the timber of those ships which have had their day—the ships that have ridden fearless and safe through a thousand storms, that have set forth so hopefully into the dim horizon of the unknown and evaded to the last the grim, grasping fingers of the hungry sea.

(E. Temple Thurston, "Ship's Logs")

訳例を2つ並べてみましょう.

A)「私が書く場所を,大体誰でも知っているに違いない.それは,もう用済みになった船の材木をばらばらにして薪にする所だ.それらは,何千という嵐の中を恐れることなく安全に航海してきた船であり,未知の領域のかすかな水平線の中へと希望に燃えて出発し,腹を空かした海の,恐ろしい,つかみかかろうとする,その指から最後まで逃れた船である」

B)「私の話題にする場所のことは,ほぼ誰でも知っていると思う.かつては栄光に輝いた船舶の肋材を解体して丸太にする処理場のことだ.いずれも,幾多の嵐を大胆に安全に切り抜け,未知の海の遠くにかすむ地平線に向かって希望に満ちて出航し,執念深く襲いかかる海の残忍で貪欲な魔手を最後まで追い払うことに成功した船である」

印象の違いはどこから？

AとB，2つの日本語を読みくらべていただければ，伝えている内容はほとんど変わらないのが分かるでしょう．しかしおそらく読んで受ける印象はだいぶ違うのではないかと思います．A，Bともに私の訳文ですが，本気で訳したのは，後者です．

私がBのように訳したのは，引用した箇所の後も含め，この文章を最後まで読んで伝わってきた筆者の考え方を表現したいと思ったからです．この先を読むと，筆者は船の船首像(figurehead)に注目しています．船首像は日本の船にはありませんが，航海の安全のための守り神として船首に取り付けられた彫像です．古くはライオンなどの動物像でしたが，次第に船の名前にちなむ人物像が用いられるようになりました．船首だけでなく，船尾にも装飾的な彫刻をほどこしたものが取り付けられていることもあります．

こういう船首像が，常に警戒の目を光らせて深海を相手に敢然と立ち向かって来たと思うと，無表情な像の顔にある表情が浮かんでくると筆者は述べています．筆者は鋭敏な人らしく，さらに想像力を羽ばたかせていると，船首像が「無数の自慢話やこわい話など，ありとあらゆる海にまつわる物語」をささやくのを耳にしたといいます．そして話の最後は次のような言葉で終わっているのです．

Nothing is silent in this world. There is only deafness.「一体，この世に物言わぬものなどありはしない．聞こえないのは，聞く耳を持たぬだけのことだ」

「もののあわれ」を訳語に

ここまで読むと，執筆者はこれらの船とまるで心を通わせているかのように，いとおしんでいるのがわかってきますね．身を尽くして長年働き続けた労に報いることもなく，ただただ無惨に解体して丸太にするのは，仕方がないけれど忍びないような，気の毒な気がしているのです．日本人のような「もののあわれ」の分かる人なのかもしれません．

日本語に訳すにあたっては，こうした書き手が文章を書いたときの感情や気分を理解し，それを日本語に反映させてゆくことで，大きく訳文の印象が違ってきます．この観点から，先ほどの日本語を再検討してみましょう．

have had their day は，直訳すれば「もう過ぎた昔に全盛期を経験した」というような感じですが，それを「用済み」とか，「もう役に立たなくなった」とすると，実用的な合理主義の論理になり，船の過去の栄光を懐かしむ態度と合いません．これを，「かつては栄光に輝いた」としたら書き手の気持ちに合致するでしょう．

the hungry sea を「腹を空かせた海」というのも問題です．海が船を沈没させようとするのは，空腹を満た

すためというより，海を征服しようとする生意気な船への復讐のように考える方がしっくりきますし，飢えているのは，例えば敵の血に対してといえるのではないでしょうか．have evaded to the last も「最後まで逃れてきた」としたのでは，「恐れることなく」の調子と合わないでしょう．「最後の最後まで戦って難を逃れた」などと威厳を保つような言葉がいいですね．fingers は「指」よりも「魔の手」のほうが，感じが出るかもしれません．

　Bの訳は，書き手が持っている船への尊敬の気持ちを念頭におきながら，想像力を働かせた結果生まれたものです．現実に訳にあらわれる差は僅かかもしれませんが，原文の根底に流れる思いにふさわしい日本語の表現になるよう，意識を持つだけでも仕上がりは変わってきます．原文から伝わる作者の思いを日本語の読者にも伝えられなければ，やはりそれはよい「翻訳」ではないと私は考えるのです．

いよいよ最終段階

　本章の，いや本書全体の最後の締めくくりとして，手強い文章に挑戦しましょう．ただむずかしいだけでなく読み応えがあって，とくと考えれば分かってくる文章となると，ヘンリー・ジェイムズが筆頭かと思います．英文和訳にとどまらず，さらに翻訳へのステップを踏みたいという願望を掻きたてるのも，この作家ならではのこ

とです.

取り上げるのは「教え子」という短篇の冒頭です.ジェイムズは何しろ1文が長いことで有名で,ピリオドがくるまでに,さまざまに呼吸が変化します.1文ずつ読んでいきますから,皆さんも「筋」を追いながらじっくりと味わってみてください.

話の舞台は,パリに住むアメリカ人モリーン一家.彼らはヨーロッパ貴族に憧れている俗物家族なのですが,その末っ子の少年の住み込み家庭教師の面接を受けようと,アメリカ人青年が訪ねてきます.青年が母親と話し合っているところが以下の文章です.

5-5▶ The poor young man hesitated and procrastinated: it cost him such an effort to broach the subject of terms, to speak of money to a person who spoke only of feelings and, as it were, of the aristocracy.

(Henry James, "The Pupil")

まずは「1語1語」から

procrastinate という語は「ぐずぐずする」,broach は「(話などを)切り出す」という意味です.terms は色々な意味があるのですぐには決められないところですが,青年が何のためにここに来たかということと,直ぐ後に money がでてきて,これと類似の意味らしいというこ

Step V　翻訳へのステップ　　　　211

とがヒントになるでしょう．文法的なこととしては2つの不定詞，to broach と to speak がいずれも形式上の主語として it を受けているのは分かりますね．「切り出す」「話す」と言葉遣いをかえて，同じことを言い換えています．

　ここで「直訳」を入れておきましょう．

　A)「貧しい青年はためらい，ぐずぐずした．感情と，いわば，貴族のことのみ話す人に対して，条件の話題を切り出す，つまり金銭について語るのは，このような努力を要した」

　「感情」と「貴族のこと」しか話さない婦人に向かって，お金の話を出しにくい，というのは理解できます．「感情」というのは，ここでは「金銭」「物質」に対する語で，「精神的なこと」「気持ち」といった意味合いです．就職の面談であれば，通常なら月謝はいくらとかいう条件の話が出るわけで，これは普通雇用者が提示するのが常識です．どうやら，この婦人は常識を無視しているようですね．

機械的に訳さない

　さてここから，本書で学んできた，単語も熟語も「1対1」で訳さないという鉄則が生きてくるところです．

　まずは poor です．自動的に「貧しい」としないこと．ここは青年がまさにいま困っている状態への言及でしょ

うから,「可哀想な」としたほうがいいですね. such にも, 何かと比較するのではなく, ただ「非常な」という意味があります.

さらに気になるのは as it were という挿入句です.「いわば」と言い換えるのは簡単なことでしょうが,「いわば」が具体的にどういうことか, 納得できていますか.「He is, as it were, a grown-up baby.(彼はいうなれば赤ん坊が大人になったみたいなものだ)」なら意味合いがよく分かりますが,「いわば aristocracy」と言われても, 何のことかはっきりしません.

ここで単純に置き換えるのではなく, もう少し考えてみた結果,「実際はとにかく, 世慣れぬ青年の耳には, 貴族を話題にしているかのように聞こえる」というのではないかと考えられます. 貴族と交友があるほどお金持ちなのだという雰囲気を, 意図的に漂わせているようです.

再考して訳し直してみましょう.

B)「気の毒に青年はおろおろと迷うばかりだった. 相手が口にするのは, 感情のことばかりで, 貴族にまつわる話題としか言いようのないことばかり話そうとするのだ. 条件だの金額だの言い出すのは, 大変な努力を要した」

英文和訳としてはこれで充分です. では翻訳なら? という問題は, 先にまとめてみることにして, 原文の続

Step V　翻訳へのステップ　　　　213

長い1文の訳しかた

5-6▶ Yet he was unwilling to take leave, treating his engagement as settled, without some more conventional glance in that direction than he could find an opening for in the manner of the large, affable lady who sat there drawing a pair of soiled gants de Suede through a fat, jewelled hand and, at once pressing and gliding, repeated over and over everything but the thing he would have liked to hear.

　この全体で1文ですから，とにかく長い文章です．これをそのまま1文で訳そうとしたら，うっかりするとこんな訳になってしまうかもしれません．

　A)「しかし契約が決まったとして，そこに座って，太い，宝石のついた手で，一対の汚れたスエードの手袋をしごきつつ，同時に押したり滑らせたりしながら，彼が出来れば聞きたいと願ったこと以外のあらゆる話を，何度も繰り返す大きくて感じのよい婦人の態度の中に，その方向にもう少し話を持ってゆくきっかけを見つけられないままで邸を辞するのは，不本意だった」

　「1対1」で精一杯理解しようとしてはいますが，正直なところ，何度読んでも頭に入らない日本文です．文章の切れ目についても，語順などと同じで，ただ「そのま

ま置き換えた」のでは日本語にならないこともあるのです．必ずしも原文に合わせて全体を1文にする必要はありません，いくつかの文に分割してみましょう．

具体的な状況を追う

最初の「契約が片づいたとして，辞するのはいやだ」というところは分かりますね．treating は現在分詞で「付帯状況を表す」と考えてよいでしょう．直訳すれば「扱って」でしょう．

次の more conventional glance in that direction はかなり厄介です．直訳の「そういう方向でのより通常的な眼差し」を，前後のコンテクストから見当をつけていくしかないでしょう．ヒントとしては，glance を広い意味にとっていくことでしょうか．

「婦人がしているよりも，もっと通常あるべき視線をそちらの方向に投げかける」という直訳まで到達できますか．前にも触れたように，月謝などの話を雇用主の側から持ち出すのが，ありきたりの慣習ですね．ところがこの婦人はなぜかそれに触れません．当然ながら青年はそれに不満なのです．find an opening for は「〜のきっかけを見つける」と訳すのはむずかしくないですね．

gants de Suede はフランス語で（ジェイムズはよくこのようにフランス語を使います），スエードの手袋ということ．さて座っている婦人は汚れた手袋を一体どうし

ているのか，これは具体的に状況を理解することが必要です．修飾部分を抜きにしてみると drawing a pair of gants through a hand，つまり，1組の手袋をあわせて片手に持ち，もう一方の手でしごいているのです．

もう一度，辞典でしらべる

一番解釈に苦労するのは，at once pressing and gliding ではないかと思います．つい直前に引きつけて考えてしまいがちですが，先ほどの訳 A) のように，手袋を押しつけたり，擦ったり「同時に」しているというのが，はたして具体的に思い浮かぶでしょうか？

これは分詞構文で，「press すると同時に glide しながら」が直訳です．しかし念のために，Step II で swinging「にぎやかな」の意味をあらためて調べたことを思い出して，pressing を辞典で引いてみると，「しつこい」という意味でもよく使うと説明があります．これも参考になりましょう．さらに at once も，熟語として She is at once kind and ill-natured. のように，A でありながら，B でもある，という言い方もあるのです．悩んだときにはしっかり辞典を引く，色々な訳語を調べて試行錯誤してみる，という原則をまた思い出してください．

これらのことからすると，この部分は手袋の扱い方でなく，婦人の彼への態度，つまり repeated の修飾として考えられないでしょうか．pressing「押しつけがまし

い」, gliding「するすると逃げるような」ととったらいかが.

最後の but が except の意味だというのは理解しない人はいないでしょうね.

B)「しかし契約がまとまったとして，その面でもう少し常識的な話し合いをせずに，辞するのは嫌だった.太い宝石で飾った手で汚れたスエード手袋をしごきながらそこに座っている大柄で愛想よい婦人の態度に，切り込むのは難しくはあった．彼女は，押しつけがましいわりに話をかわすのも巧みで，こちらの聞きたいこと以外のあれこれを，繰り返し語っているからだ」

これなら，読んですぐに具体的な状況が把握出来ましょう．

「筋」をうけて読む

それではここまでの展開を「筋」としてうけて，続きを読んでみてください．

5-7▶ He would have liked to hear the figure of his salary: but just as he was nervously about to sound that note the little boy came back——the little boy Mrs. Moreen had sent out of the room to fetch her fan. He came back without the fan, only with the casual observation that he couldn't find it. As he dropped this cynical confession he looked straight and hard at the candidate for the honour of taking his education in hand.

　この文章も長いですが，ひとつ前の箇所よりは分かりやすいかと思います．ここは「直訳」A)を掲げずに，順番に見ていきます．

　would have liked to は「できれば〜したかった」，figure はここでは「金額」ですね．nervously を「神経質」と丸暗記している人が多いですから，これは注意してください．sound that note は直訳すると「その音を響かせる」ですが，「声に出して言う」という意味にも使います．

　ここで，青年が住み込み家庭教師として教えることになるかもしれない少年が現れます．母親は大人どうしの話し合いの場から口実をつけて席を外させようとしたのですが，どうやらそれを見抜いているようで，かなりませた子のようです．

　casual observation は少し訳しにくいところですが，ここも「observation＝観察」という丸暗記訳語にとらわれないようにしましょう．observe には「言う」という意味もあります．casual は「さりげない」「投げやりな」という意味ですね．母に命じられた仕事を真面目にやらず，扇子が見つかっても見つからなくてもかまわな

いという態度を形容する言葉です．扇子云々は子供を大人の話から閉め出すための口実にすぎないと少年はすでに見破っているわけです．

次の cynical も同じで，本当は必要のない扇子を取りにやらせた母に対して「本音は分かっているんだよ」と嫌みを示したということです．一方，母に失望した少年は初対面の青年には期待を寄せ，信頼してよいかどうかと熱心に観察しているかのようです．

B)「青年は給料の額を知りたがったのだ．ところが，もじもじしながら，その話題を切り出そうとしたまさにその時，少年が戻ってきた．モリーン夫人は，この子に扇子を持ってきて頂戴といって，部屋から出したのであった．扇子を持たずに戻り，見つからなかったよと平然として言うだけであった．皮肉をこめてそう言いながら，少年は，自分の勉強を担当する栄誉を受ける候補者を熱心に直視した」

英文和訳から，翻訳へ

さて，3つに分けた文それぞれに，訳例 B) として挙げた日本文は，英文和訳としてなら充分に通用しますね．しかしここで止まらず，さらに工夫して，考えて，完全に一本立ちできる翻訳文にしてみましょう．

ここから先は，何度も申しあげたように，「正解」のない領域です．皆さんもぜひ自力での挑戦をおすすめし

ます.周りの,原文を全く知らない友人などに読んでもらってみて「分かるよ」というお墨付きを貰ってください.

以下はひとつの試みです.

「可哀想に青年は喉まで出かかった言葉が出せずにいた.何しろ相手はおっとり構えて人の気持ちとか,上流社会のことしか話題にしないのだから,どうして条件とか,給料のことなど持ち出せようか.とはいえ,もう話は済んだものとして,こういう場合に当然の質問もせずに引き下がるのはいやだった.そこに座って,薄汚れたスエードの手袋を宝石の輝く太い手でしごいている大柄で愛想のよい婦人の態度には,金銭のことなど切り出させせぬような雰囲気があった.押しつけがましいくせに,話題を転じるのも巧みで,青年の聞きたいこと以外の話ばかりを何遍となく繰り返すのだ.もちろん金額を知りたかったわけだが,青年がおずおずとその方向に話を持って行こうとしたその瞬間,モリーン夫人が扇子を取りにやらせた子供が戻って来てしまった.子供は扇子を持たずに戻ってきて,そんなものなかったよ,と素っ気なく言った.この嫌みな言葉を母に投げつけながら,子供は自分の家庭教師となる栄誉を担う青年をまじまじと熱心な眼差しで見やった」

実際の翻訳では，原文にない語を補ったり，逆に，あると意味が曖昧になるので抜かしたり，色々と手を尽くすのが普通です．この翻訳でも，僅かながらそのようにしています．どこだかお分かりでしょうか．「上流社会」としたのは，「いわば貴族のこと」というのが自然な日本語だとは感じられなかったので，具体的な内容を考慮して，こうしました．また，「おっとり構えて」という原文にない言葉を補ったのは，「気持ちと貴族のことだけ話す」という描写が，彼女の態度の説明として唐突に感じられたので，和らげるために入れました．あくまで訳者の主観的な判断によります．

　興味のある方のために物語のその後を付け加えましょう．青年は，「その点は世間並みにいたしますわ．いずれ主人が申し上げますけど」という以上の約束を引き出せずに引き上げますが，結局この「世間並み」という約束は履行されずに終わります．一方，少年と青年は心をかよわせる間柄になります．

Step I の例文訳例

1-1 ▶ 最後にむじなを見た人は，今から 30 年ほど前に亡くなった京橋あたりの老商人でした．これがその老人が語ったままのお話です……

　ある夜のこと，夜更けに紀伊国坂を早足で登ってゆくと，たったひとりでお堀のそばにうずくまって，悲しそうに泣いている女に気づきました．身投げでもする気ではないかと心配して，老人は出来る限りの援助なり慰めなりをしてあげようとして立ち止まりました．見ると，女は身なりよく，ほっそりした上品な人のようで，髪は良家の娘さんのような結い方をしていました．「お女中」と，近寄りながら老人は大声で呼びかけました，「お女中，そんなに泣きなさるな……どんな悩みがあるのか私にお話しなさい，私に何かしてあげられる事があれば，助けてあげようじゃありませんか」こう言っても娘は，袂の片方で老人から顔を隠しながら，相変わらず泣き続けたままでした．

1-2 ▶ ゆっくりと娘は体を起こしましたが，老人に背中を向け，袂で顔を覆ってしくしくと泣き続けました．老人は娘の肩に軽く手を置いて，頼むように言いました．「お女中，お女中，お女中や……さあ，ほんの一寸の間，言うことを聞きなさい．ねえ，お女中，お女中」すると娘はくるっと振り向き，袂を下ろし，手で自分の顔をつるっと撫でました．——すると，女の顔には目も鼻も口もなかったのです．——老人は悲鳴をあげて逃げだしたのでした．

1-3 ▶ 財産をたっぷり所有する未婚の男性は妻を必要としているに違いない．これが世間一般によく知られている真実です．ですから，このような男性が近隣に引っ越してくると，彼の気

持ちや意見について何も分からなくても，近所に住む家族にはこの真実が余りに明白であるため，彼らはその男性を，直ちに娘たちの中のだれかの未来の夫としてみなすようになるのです．

「ねえあなた」と，ある日ミセズ・ベネットが夫に言いました，「ネザーフィールド・パークを借りようとする人がとうとう現れたってお聞きになった？」

「いや，聞いていないよ」夫が答えました

「誰が借り手なのか，あなた，知りたくないんですか？」妻はいらいらして大声で言いました．

「君が話したいのだろ．拝聴いたしますよ」

ミセズ・ベネットは夫の促しを待つまでもなく喋りだしました．「あのねえ，あなた，その人は，イングランドの北部出身のとても裕福な青年だという話で……」

1-4 ▶ （本文中に掲載）

1-5 ▶ トラウマになりうる災害に直面して普通の人間が起こす反応は無気力である．しかしあまりに度外れた出来事が常には考えられない勇気を奮い立たせることもあるのだ．インドネシアのバンダアチェで花屋を営む37歳のアーウィンは，12月26日の津波が襲った時，バイクで家に帰る途中だった．

1-6 ▶ 水嵩の増したアチェ川に架かる太鼓橋の上で，彼は何百という他の人たちと共に避難していた．「黒々とした水は重い泥水のように見えました」と彼は振り返って語った．「水面は死体，車，死んだ動物で一杯でした．あまりにたくさんの瓦礫で水は見えないほどでした」突然橋の上の群衆の耳にかすかな叫び声が聞こえた．「パパ，パパ」という声．アーウィンは川を見渡したが，声の主の場所を突き止めることは出来なかった．隣にいた男が指さしながら，「あそこに女の子がいる！」と叫んだ．

1-7 ▶ 3歳くらいの子供が川の真ん中で木の厚板にしがみつ

いていた．「橋の上には大勢の人がいたのですが，誰も動こうとしませんでした」とアーウィンは語る．ビデオカメラを持った警官がいたが，ただ少女が流されてゆく姿を撮影するだけだった．「それを見て，誰も救いにいかないのだと気づき，私は川辺まで走り，水中に入ってゆきました．川は残骸で一杯で，私は魚捕り用の網に足を取られてばかりいました」およそ15分骨折って進み，少女のところにたどり着いた．「私は疲れてきたので，子供を私から受け取ってくれるように，橋の上の人に向かって叫びました．でも今度もまた誰も動きませんでした．きっとみんなとても怖がっていたのです．私はもう少しで子供から手を離しそうになりました．その時，ひとりの青年が川に入り，こちらに近寄ってくるのが見えました．あの瞬間を忘れることは生涯決してありません．彼の顔を忘れることは決してありません」

1-8 ▶ その顔はヘル(ジャック)・クルニアワンという，遊園地で働く27歳の青年の顔であった．「誰かが救いにいくべきなのは明らかでしたよ」とジャックは言う．「さもないと，あの2人ともが溺死しそうだった」ジャックは「死体を避けるようにして」川の中ほどまでたどり着いた．子供を肩に担ぎあげようとすると，子供は痛がって泣き出した．右足が魚捕り網に引っかかっていたのだ．ジャックが懸命に流されないように頑張っている間，アーウィンは網から子供の足を外そうと苦心した．「自分にガンバレ，ガンバレと言い続けましたよ」とジャックは回想する，「さもなければ，3人ともおぼれ死んだことでしょうね」

　2人の男が泣いている少女を川辺まで連れてくると，彼らは互いに自己紹介もせずに別れた．その後8カ月の間——『タイム』誌が先月2人を再会させるまで——ジャックはアーウィンが子供の父だと思い込んでいた．勘違いだった．2人とも偶然

その場に居合わせた見物人であったのだが，赤の他人を救うために自分の命を危険にさらしたのである．

1-9 ▶ エルキュール・ポワロは部屋に招じ入れられた若い婦人を，興味深げにまた鑑賞するような眼差しで眺めた．

彼女が寄越した手紙にはこれという特徴は何もなかった．面会したいという要求が述べられているだけで，その背後にあるものについては全く触れられていなかった．短い事務的な手紙だった．筆跡が力強いことからカーラ・ルマルシャンが若い娘だと見当がつくだけだった．

そして今，生身の彼女が現れたのだ．20代初めの背の高いほっそりした女性だ．人が間違いなく2回振り返って眺めるような魅力ある女性である．服装は上等で，高価な仕立てのよい上着とスカートに豪華な毛皮という出で立ちである．頭は肩に格好良くついている．角張った額，繊細に彫刻されたような鼻，強い意志を表す顎．ひじょうに生命力に溢れている．最も強く印象にのこる特徴は，美しさよりもその生命力だった．

1-10 ▶ 子犬はたんに，その辺を走り回り，お互いを追っかけ，転がってくるボールや落ちてくる枯葉を捕まえようとしているだけではない．そうではなくて，子犬は互いに取っ組み合い，喧嘩し，嚙んだりひっかいたりしてお互いを殺そうともする．少なくとも，そのように見える．しかしながら，本気で嚙んだりひっかいたり，お互いに心底憎悪をあらわにし，実際に傷を負わせ血を流させているのだとすれば，そんな子犬の振舞いをニコニコして眺める者はサディスト以外にはいないということになろう．

1-11 ▶ 子犬は本当にとても幼いのだが，遊びと喧嘩の区別をちゃんと心得ている．兄弟を嚙む振りをしているときでも，その相手が，必死で戦ってこちらの命を奪おうとしている敵などではなく，楽しい遊び仲間だと心得ているのだ．相手が負か

され，押し倒され，慈悲を請う状況になったとしても，それは無慈悲な攻撃者に征服されたのではなく，喧嘩でなく遊びである競争で負けたに過ぎない，ということも心得ているのだ．

1-12 ▶ 翌日イーヴは会社にいるモーリエ伯爵に電話した．

「こちらはイーヴ・ブラックウェルです．私のこと，多分お忘れでしょうけど——」

「お嬢さんのことを忘れるなんて，あり得ないじゃないか．私の友人のケートの美人の孫のひとりでしょう」

「伯爵様，覚えていただいていたなんて光栄ですわ．お邪魔して申し訳ないのですが，伯爵様はワインにとても詳しいとお聞きしましたの．実は私，祖母のために，祖母には内緒でパーティーを計画しているんですよ」そこで彼女はさも困ったように小声で笑った．「出すお料理のことは分かっているのですけど，ワインのことは全然分からないんです．そこで伯爵様に教えていただけないかしらと思ったのです」

「教えてあげるとも」伯爵は嬉しそうに答えた．「出す料理次第なのですよ．最初に魚料理を出すのなら，上質の軽いシャブリが——」

「あのう，私，ワインの名前とかとても覚えられないと思うのです．それで，もしかして，直接お目にかかって，教えていただくなんて，無理でしょうか？　今日のお昼なんか，ご一緒しながら……？」

「旧友のためというのであれば，都合はつけられんでもないと思う」

「まあ，ありがたいです」イーヴはゆっくりと受話器を置いた．伯爵がこれから残りの人生で決して忘れることのないお昼にしてやるわ．

例文出典一覧

1-1, 2 *Mujina* by Lafcadio Hearn, Rinsen Books, Kyoto.

1-3 *Pride and Prejudice by Jane Austen, Simplified edition* retold by Clare West, Reprinted by permission of Oxford University Press, Oxford.

1-4 *Pride and Prejudice* by Jane Austen, Oxford University Press, Oxford.

1-5~8 *Tsunami, The Kindness of Strangers* (*Time*, October 10th 2005).

1-9 *Five Little Pigs* by Agatha Christie, Harper Collins Publishers, London.

1-10, 11 *Explorations* by Gilbert Highet, Reprinted by permission of Oxford University Press, Oxford.

1-12 *Master of the Game* by Sidney Sheldon, Warner Books.

2-1, 2 *The Ghost Hunter's Road Book* by John Harries, Muller, London.

2-3 *The Acceptance World* by Anthony Powell, Heinemann, London.

2-4 *The Happy Man* by W. Somerset Maugham, Reprinted by permission of A. P. Watt Ltd, London on behalf of the Royal Literary Fund.

3-1 *The Strawberry Season* in *American Earth* by Erskine Caldwell, Reprinted by permission of Pollinger Limited, London and The Estate of Erskine Caldwell.

3-2 *The Romantic Young Lady* by W. Somerset Maugham, Reprinted by permission of A. P. Watt Ltd, London on

behalf of the Royal Literary Fund.
3-3 *The Two Cultures and the Scientific Revolution* by C. P. Snow, Reprinted by permission of Cambridge University Press, Cambridge.
3-4 *Point Counter Point* by Aldous Huxley, Chatto & Windus, London.
3-5 *The Buried Day* by Cecil Day Lewis, Reprinted by permission of PFD, London.
4-1 *Swallows* in *The Cockleshell* by Robert Lynd, Methuen, London.
4-2, 3 *On the Uses of Liberal Education* by Mark Edmundson (*Harper's Magazine*, September 1997).
4-4~6 *The Pleasures of Work* in *The Thread of Gold* by A. C. Benson, John Murray, London.
4-7 *Father and Son* by Edmund Gosse, Heinemann, London.
4-8, 9 The Preface by Saul Bellow (contributed to *The Closing of the American Mind* by Allan Bloom), Reprinted by permission of The Wylie Agency, London through The Sakai Agency, Tokyo.
5-1 *On a Map of the Oberland* by Alfred G. Gardiner, George G. Harrap & Co. Ltd., London.
5-2 *A Writer's Notebook* by W. Somerset Maugham, Reprinted by permission of A. P. Watt Ltd, London on behalf of the Royal Literary Fund.
5-3 *Gladys, Duchess of Marlborough* by Hugo Vickers (reviewed by Eve Auchincloss, *Time*, June 9th 1980)
5-4 *Ship's Logs* by E. Temple Thurston, George G. Harrap & Co. Ltd., London.
5-5~7 *The Pupil* by Henry James, J. B. Lippincott, New York.

(p. 90) *The Moon and Sixpence* by W. Somerset Maugham, Reprinted by permission of A P. Watt Ltd, London on behalf of the Royal Literary Fund.

(p.101) *The Gioconda Smile* in *Mortal Coils* by Aldous Huxley, Reprinted by permission of Georges Borchardt, Inc., New York.

(p.159) *My Story* by Marilyn Monroe, Stein and Day, New York.

(p.160) *An Inquiry to the Nature and Causes of the Wealth of Nations* by Adam Smith, London.

(p.178) *The Black Cat* by E. A. Poe, Modern Library, New York.

Every effort has been made to trace the copyright holders: Iwanami Shoten, Publishers apologizes for unintentional omissions and would be pleased, in such cases, to add an acknowledgement in future editions.

あとがき

　私が書いた英語の読みに関する本は，今回で6冊目になり，我ながら何冊もよく書いたものだと驚いています．振り返ってみますと，朝日新聞に「大学の英語教科書」というエッセイを書いたのが1975年でした．当時は大学の教養課程で使うテキストの転換期で，それ以前の著名作家の短篇やエッセイ，評論などを講読する方式から，在日英米人が日本の学生を意識して書いたエッセイを材料にした，会話中心の総合教材へと変わっていった時期に当たります．

　私の新聞への寄稿は，せっかく苦労して読む教科書の英語の質および扱われている内容の軽さを嘆き，批判したものでした．私はそれ以来，英米文学の研究や翻訳だけでなく，英語教育にも足を踏み入れた感じになり，遂に1986年11月から由緒ある月刊誌『英語青年』の英文解釈欄を隔月に担当することになりました．この担当は1度も休まず今日まで継続していますから，20年を越えています．

　本書のような本を書くに際して私に何か取り柄があるとすれば，ひとつには，長年にわたってさまざまな人に英語を教えてきた経験があるということです．上記のように『英語青年』で毎月投稿者の解答を添削してきたこ

とに加えて,大学でも 40 年以上教鞭を執ってきました.相手をした人には,英語が大好きな年配の投稿者もいれば,いやいや授業に来ている学生もいます.そこでどんな人でもやる気さえあれば実力がつくようにと工夫を凝らすうちに,同じことを説明するにしても,教える側の工夫しだいで相手の納得度がずいぶん違うということを発見しました.本書ではこのような経験を活かして,出来る限り丁寧に説明したつもりです.

もうひとつの取り柄は,先に述べたようなすぐれた先生との出会いを抜かせば,子供の時外国で暮らしたとか,近所に英米人の家族がいたとか,そういう経験はなく,ただこつこつと普通の学校で日本人の先生に学び,誰もが使う参考書や問題集で勉強して実力をつけたという平凡さでしょう.

本書の題名からいわゆるハウ・ツー物を期待された読者は失望されるかもしれません.どうして私が正確な読みにこだわるのかといえば,せっかく外国語を学ぼうとするのにハウ・ツーだけでは物足りないと思うからです.もっと人間としての成長を視野に置きたいのです.ややむずかしい英文を,辞書を引き文脈を考え,文化的背景を考慮し,執筆者の発想法を探るなどして,日本語として意味の通る文章にする(あるいはその逆の英文を書く)ことが,複眼で物を見,表面の言葉にだまされずに言葉の持つ真の意味を考える力を身につけさせる,と私は考

えています．このような英語のセンスを身につけることが，国際人として望ましいのです．それには「平凡」で充分，海外留学は必ずしも必要ないのです．

　岩波書店から刊行した『英文快読術』『英語のセンスを磨く』『英語の発想がよくわかる表現50』の中で，前2冊と共に，今度の『英文の読み方』は題材として『英語青年』で取り上げたものを多数活用して執筆しています．

　英文の読み方を解説するのに相応しい英文というものは，決して簡単に見つけられるものではありません．ある程度の長さで，前後を読まなくてもそこだけで理解でき，内容が教養人の鑑賞に相応しく，むずかしすぎてもいけないけれど，頭を使わなくては分からない解釈上の問題点がいくつか含まれている——このような条件を満たす英文でなければなりません．こう言えば，例文を探す困難を想像していただけるかもしれませんね．

　『英語青年』連載時には，現編集長の津田正氏，並びに以前の編集長であった守屋岑雄氏，山田浩平氏からは常に有益なコメントや助言を得ました．また，熱心な投稿者の訳文からも，教えられることが多々ありました．私の解釈の浅さを覚らされることもありましたし，とりわけ，平均的な日本の学習者にとって何が盲点であるか，いかなる説明方法が一番納得していただけるのかなども

分かりました．もし本書での記述の仕方が分かりやすいとすれば，多分にこれらの投稿者のお陰もありましょう．お礼申しあげます．

　「はじめに」で述べたように，本書では英文の読解力の向上を目指す読者のお役に立ちたいという思いが強く働きました．従来から質問には誠実に答えてきたつもりですが，今回は岩波新書編集部の古川義子さんが，読者に代わって，英文を読み解いていく上での疑問点を色々と質問してくださいました．そこで「理屈なしですよ，勘で分かるんですから」などという答えは出来ませんでしたので，どうして自分に該当箇所が理解できたのか，何度も自分に問いかけては考え，理解できた根拠，どの単語を手がかりにし，どう筋を辿れたか，など，読者に納得できる説明を頭から絞り出しました．難解な箇所で読者が容易に理解できる説明があったとすれば，古川さんのお陰です．

　「はじめに」でも触れましたが，直接の恩師である故上田勤，故朱牟田夏雄両先生への学恩は尽きません．ついに一度もお会いできなかった故江川泰一郎教授は，生前私の著書に好意を示され，かつ名著『英文法解説』からの自由な引用を許可してくださいました．畏友浅野博氏は専門の英語教育の立場から本書に関心を示し，私の素人的な質問に快く応じてくれました．東大での教え子で『英語青年』への長年の優秀な投稿者である西川健誠

氏は現役大学教員の立場からの助言を惜しみませんでした．古川さんは上述の巧みな質問をしてくださった他，企画から完成にいたる長い道程をしっかりサポートしてくださいました．これらの人々に心から感謝します．

　　2007年4月16日

行方昭夫

行方昭夫

1931年 東京都に生まれる
1955年 東京大学教養学部イギリス科卒業
現在―東京大学名誉教授,東洋学園大学名誉教授
専攻―英米文学
著書―『英文快読術』(岩波現代文庫)
　　　『ジェイムズ研究』(共著,南雲堂)
　　　『モーム』(共著,研究社)
　　　『英語のセンスを磨く』(岩波書店)
　　　『英語の発想がよくわかる表現50』(岩波ジュニア新書)
訳書―クローバー『イシ』(岩波現代文庫)
　　　ジェイムズ『ある婦人の肖像』『ねじの回転 デイジー・ミラー』
　　　モーム『人間の絆』『月と六ペンス』『サミング・アップ』(以上5点,岩波文庫)
　　　ほか多数

英文の読み方　　　岩波新書(新赤版)1075

2007年5月22日　第1刷発行
2008年4月24日　第5刷発行

著　者　行方昭夫(なめかたあきお)

発行者　山口昭男

発行所　株式会社　岩波書店
　　　　〒101-8002 東京都千代田区一ツ橋2-5-5
　　　　案内 03-5210-4000　販売部 03-5210-4111
　　　　http://www.iwanami.co.jp/

　　　　新書編集部 03-5210-4054
　　　　http://www.iwanamishinsho.com/

印刷・精興社　カバー・半七印刷　製本・中永製本

© Akio Namekata 2007
ISBN 978-4-00-431075-4　　Printed in Japan

岩波新書新赤版一〇〇〇点に際して

ひとつの時代が終わったと言われて久しい。だが、その先にいかなる時代を展望するのか、私たちはその輪郭すら描きえていない。二〇世紀から持ち越した課題の多くは、未だ解決の緒を見つけることのできないままに、二一世紀が新たに招きよせた問題も少なくない。グローバル資本主義の浸透、憎悪の連鎖、暴力の応酬——世界は混沌として深い不安の只中にある。

現代社会においては変化が常態となり、速さと新しさに絶対的な価値が与えられた。個人と社会を支える基盤としての教養となった。まさにそのような教養への道案内こそ、岩波新書が創刊以来、追求してきたことである。

しかし、日常生活のそれぞれの場で、自由と民主主義を獲得し実践することを通じて、私たち自身がそうした閉塞を乗り超え、希望の時代の幕開けを告げてゆくことは不可能ではあるまい。そのために、いま求められていること——それは、個と個の間で開かれた対話を積み重ねながら、人間らしく生きることの条件について一人ひとりが粘り強く思考することではないか。その営みの糧となるものが、教養に外ならないと私たちは考える。歴史とは何か、よく生きるとはいかなることか、世界そして人間はどこへ向かうべきなのか——こうした根源的な問いとの格闘が、文化と知の厚みを作り出し、個人と社会を支える基盤としての教養となった。まさにそのような教養への道案内こそ、岩波新書が創刊以来、追求してきたことである。

岩波新書は、日中戦争下の一九三八年一一月に赤版として創刊された。創刊の辞は、道義の精神に則らない日本の行動を憂慮し、批判的精神と良心的行動の欠如を戒めつつ、現代人の現代的教養を刊行の目的とする、と謳っている。以後、青版、黄版、新赤版と装いを改めながら、合計二五〇〇点余りを世に問うてきた。そして、いままた新赤版が一〇〇〇点を迎えたのを機に、人間の理性と良心への信頼を再確認し、それに裏打ちされた文化を培っていく決意を込めて、新しい装丁のもとに再出発したいと思う。一冊一冊から吹き出す新風が一人でも多くの読者の許に届くこと、そして希望ある時代への想像力を豊かにかき立てることを切に願う。

(二〇〇六年四月)